大師私淑坊

林散之讲授书法

庄希祖　编选　导读

上海书画出版社

私淑传统与大师风标（代序）

王立翔

私淑一词，最早见于《孟子·离娄下》：“予未得为孔子徒也，予私淑诸人也。”东汉赵岐章句曰：“淑，善也。我私善之于贤人耳，盖恨其不得学于大圣也。”孟子与孔子前后相距百余年，自然是不能“为孔子徒”的，故而赵岐之注将孟子言语中因未能亲炙受教而无限抱憾的隐意准确地揭示了出来。从此，“私淑”一词就为后人袭用，并潜藏下两个基本要义：一是学习者未能受业但仍尊之为师，二是潜心研习、学有所成且能承传乃师学术。

在今天这个网络用语风行的时代，“粉丝”一词几乎无人不晓，但举出“私淑”这个古老的词，问其准确词义，或许很多人尤其是年轻人已难以语焉其详。“粉丝”与“私淑”有相近之意，但远不具备“私淑”一词丰富深邃的文化内涵。

在我们这个历史悠久的国度，“私淑”曾是一种十分重要的教育、学习的手段，甚至是文明传承的重要方式。由于古代交通不便、信息不畅，知识、学问的获取或传播，主要靠口耳相授。故作为学生尤为看重师承关系，以标榜学问的来历、学术的正统。但并非所有求学者都那么幸运，故孟子又云：“君子之所以教者五：有如时雨化之者，有成德者，有达财者，有答问者，有私淑艾者。”（《孟子·尽心上》）前四种是指圣贤施教，各因其材，最后“私淑艾者”，则是指未收入为徒的，可以通过自学以获得其所治之学。毫无疑问，想要“及门受业”远非不辞长途跋涉、多交几根腊肠那么简单，最不可逾越的，是时空交错，不能起先师于黄土啊！故古之学者，更多的是通过“私淑艾者”的方式，获得“齐家治国平天下”的各种本领。在儒学成为封建时代文化主流之后，以孟子的“私善贤人”、“恨其不得学于大圣也”为特征的“私淑”传习方式，以为“善治其身”的治学和精神提升，成为了中国文化绵延后代的一个重要传统。

“私淑”作为师承前贤、绍述学识的一种方式，在中国文化的各个领域，包括艺术领域，都发挥了巨大的作用。于书法一门，“私淑”同样具有悠久的历史。但在上古，因文字的使用大多掌握在高层官宦、贵族手中，故书法的传授都为名门家学、父子传业。又由于书法形式表现的特性，书学者更注重技艺的经验传授，名门望族往往积累世之学，常有非凡成就者。到了两汉时期，教育向庶民普及，书法被作为考核、选拔官吏的重要手段，在客观上大大促进了书法的发展。东汉赵壹在其《非草书》中称：“今之学草书者……以杜（度）崔（瑗）为楷，私书相与，庶独就书……夫杜、崔、张子，皆有超俗绝世之才，博学余暇，游手于斯，后世慕焉。专用为务，钻坚仰高，忘其疲劳……”赵壹的本意是要非难当时的学书之盛，但却形象地描述了当时的实际情况，成为一段难得的史料（杜度为汉章帝(75—88年)时人，做过齐相，崔瑗是杜度的学生。而赵壹则生于杜、崔死后四五十年），“今之学草书者”与“后世慕焉”等关键词，记录了当时学书者在草书名家的影响下普遍自学、专研的状况。这段文字可作为书法史料最早的“私淑”内容看待。

这种风尚所及以及书法形式、内涵的多样化发展，条件优越的学子也纷纷在名师、家学之外寻求新的营养。如后来被誉为书圣的王羲之，其年少初学卫夫人，无疑是血脉纯正，但“及渡江北游名山，见李斯、曹喜等书，又之许下，见钟繇、梁鹄书，又之洛下，见蔡邕《石经》三体书，又于从兄洽处见张昶《华岳碑》，始知学卫夫人书，徒费年月耳，遂改本师，仍于众碑学习焉”（《题卫夫人笔阵图后》）。这段文字虽不能确认出自王羲之，但所记叙之师法过程，结合王书所得各种养分，其内容是被肯定的。因之，王羲之堪称是私淑前贤的最好典范。

自“二王”成为书法正统后，“二王”一脉的书风几乎主导了其身后的几乎整个书法史，后继者以此为法乳，又依凭各人的努力和禀赋，成就了一座又一座高峰。毫无疑问，“二王”成为了后代书法研习者最重要的“私淑”对象。如同中国其他传统学问、技艺的延续、发展一样，书法的沿革、兴衰，亲授和私淑这两种传习方式，都发挥了极为重要的作用，进而形成了独具内蕴的传统，甚至被视为一种精神上的尊崇。这种尊崇一直延续到现代，以沈尹默等人的深入实践和理论发扬得到了进一步彰显，以白蕉的自我标榜（曾刻有“王右军私淑弟子”印）宣示了“私淑”书学精神的现代延续。

这期间，还有沙孟海、林散之、启功等一批现代卓有成就的书法名家，担负起历史的责任，他们在汲取前代营养时更不忘传统的脉络，或取碑刻金石之韵，或举回归帖学之旗，结合个人的性情和睿智，不仅在技艺上刻苦探索，更在学术理论上勤奋耕耘。其中尤以沈尹默成就最为杰出，他很早开始整理古人的书学文献，总结书法规律和学习心得，并结合现代教育理论，倡导书法普及教育，更组织机构，亲自授课。今天看来，他们当初所做的一切，为上世纪八十年代以后的书法繁荣，不仅在人才培养上，也在书学理论方面打下了良好的基础。正是这样的努力，他们成为了当之无愧的当代书法奠基人。他们堪称是真正的一代大师。

令人不可想象的，是在他们身后的大半个世纪里，或遭遇旧纲常捣毁，师道无以为尊，或涌来经济大潮，书坛浮躁亢奋。多时以来，审美意识混乱，书法界伪“名家”甚至伪“大师”四处横行。而书法的“私淑”传统未被很好地重新认识，却被一些沽名钓誉者“拿来”到处招摇撞骗，以致浅薄、低俗、粗陋之风盛行。这些状况深深侵害了书法的当今发展，令人不无有书道“式微”、传统“断裂”之虞。凡此种种，令生于今长于斯的当代人，更加体会传承文化的重要性，追念历代前贤所创造的伟大遗产；同时，更加追思那些作古未远的大师们。因为大师的成就直接浸润了同时代人，更泽被了今天的无数后来者。

在中国，大师一词是学科至高成就的代名词。就国学而言，能称得上国学大师的，必须在中国传统学术（如义理、词章、考据）方面具有突出的贡献，除此之外，还要有高尚的品格，堪为公众师表。以此来比附书法领域，前者要涵盖实践和理论两个方面的杰出成就，而后者，则建筑于道德品格上杰出的修为。以此严苛的标准来衡量，如前所述，近百年以来，书法领域如上述仅有沈尹默等人可谓是名至实归的一代大师。一方面，他们是真正的书家，均在书法造诣上取得超凡的成就，而非仅仅是善书者（依沈尹默所论）；另一方面，在学术上各有建树，视“学问为终生之事”（沙孟海《与刘江书》），故在现代书法实践和理论建树上均有筚路蓝缕之功。更为可贵的是，他们历经民族和人生艰难困苦，仍保持各自独立思想和铮铮风骨，即使在传统文化遭遇西学强烈冲击之时，他们仍锲而不舍，“当仁不让地承担起这个社会所赋予我们发扬光大书法的新任务”（沈尹默《书法散论》）。他们历史使命常怀在胸，且品格鹤立于当时书坛，至今仍是时代的风标，引得无数书法爱好者纷纷追随。

简言之，“私淑”某种程度而言就是文化、学术的“绍述”，是前贤人格精神的“追随”，剔除了这个特征，私淑就没有内核可言。大师是一个时代思想和精神的结晶，因此，一个时代需要有大师级人物。私淑传统的承续也需要不断出现新时代的大师级人物，它会以它特殊的方式去引导初学者步入门径，去抚慰徘徊堂奥之外者的迷茫甚或痛苦，去培养出更多的有识之士，来共同消除书法一脉的外部干扰和内在危机，探索创作与治学更多的奥旨，来秉持前贤的薪火，延续数千年之久的传统。在这方面，这些大师学识兼备，身名远播，本身就是私淑传统最重要的弘扬者。我们相信，大师的风标和精神的引领，是事业从无到有、继往开来的重要保证。我们期望“私淑”的传统，与其他教育方式一起,能培育出对今天书法有用的杰出人才,以博大的胸怀,涵养古今,吞吐中外,来共同继承前贤的宝贵遗产。

我们千万不要甘愿只做娱乐化的“粉丝”,而忘却甚至丢弃了我们具有千年历史传统和信仰意义的“私淑”文化精神。

正是基于这样的思考,我们编选这套《大师私淑坊》丛书,希冀更多的读者透过这些凝聚心血之作,来获取大师们无比的学识力量,弥补无缘亲炙于大师的遗憾。

愿我们的《大师私淑坊》召唤“私淑”的悠久传统,成为一个无师讲授而俨然师在的讲席,它将是一个不受时空限制、令学人永远神往的课堂。

2013年清明后三日再改于梅川嘉泰暂寄寓所

林散之（1898-1989年）

导言：龙门跳出是真龙[1]
——试论林散之先生书论与书艺成就

庄希祖

中国书法银河系中群星璀璨，代不乏人。当代草圣林散之先生当属近当代书法巨星中最光彩夺目的一颗。他不仅被选为二十世纪十大书家之一，而且被推为千年十大书家之列。他的书艺成就以及在书史上的地位已普遍被海内外书家所公认。随着时间的推移，散翁的诗、书、画艺成就犹如一座金矿将不断地被人们挖掘开采，而得到更全面的认识。

林散之先生的草书艺术成就是他诗书画艺术人生金字塔的塔尖。而它的基础是丰厚的中华文化。散翁的爱婿学者李秋水先生曾总结林老的哲学思想："大体其思想以儒家为核心，老庄哲学为体用，佛家信仰为归依。"[2]儒释道思想是中华文化的根本，也是中国知识分子生成的土壤。可以说这是林散老的精神灵魂。林老一生勤奋好学，年轻时就立下宏志，要在诗书画艺上有所建树，要与古人争一席地。他痴迷于诗书画，故有"三痴生"、"林三痴"雅号。后其师张栗庵先生将其更名为林散之。张栗庵是前清举人，家拥书城，藏书两万余册。散之先生每天一早去老师家借书，回家勤读，焚膏继晷，翌日即还再借。如此往复数年，可谓博览群书。后经张栗庵先生推荐，他赴沪于黄宾虹先生学山水画时，也仍然每日借黄老家的藏书阅读。同室学画的夏伯舟甚不解，还劝先生要用功学画。然此举却得到宾老的赞许。这说明散翁是真读书人。他胸罗

1　林散之《林散之诗集——江上诗存》，《论书绝句十三首之一》，文物出版社，2004年第一版。
2　李秋水著《拜师》，《纪念林散之先生诞辰110周年文集》，作家出版社，2008年第一版。

子史,筑成了他艺术金字塔坚实的根基。

林老一生做诗近三千首,(《江上诗存》刊载二千二百馀首,另有删减和佚散的诗很多。)启功教授在林老《江上诗存》序言中称:

> 伏读老人之诗,胸罗子史,眼寓山川,是曾读万卷书,而行万里路者。……如勉求近似者,惟杨诚斋或堪比附。然老人之诗,于国之敌,民之贼,当诛者诛,当伐者伐,正气英光,贯穿于篇什之中,则又诚斋所不具,抑且

林散之 山水册页

有所不能也。[3]

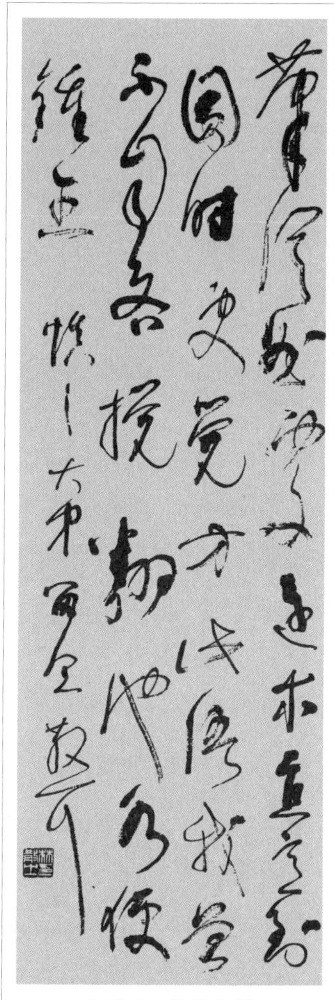
林散之 行草条屏

评价在杨万里之上。

散翁的山水画，秉承宾虹老的衣钵，亚明先生称林老画有出蓝之誉，（散翁斥之曰："胡扯。"其时我即在场。）傅雷先生在一九六五年称：

> 林老大作笔墨苍润，得宋元神韵，在宾翁高足中实为仅见。……格调允称逸品，曷胜钦佩。……宾翁笔法迄今未有传人，今始见林老，以弟毕生钦服宾老，对此极感兴奋，国画优秀传统，庶几不隳，实为艺术界之大幸。[4]

林散老在诗画两个领域都取得了辉煌的成就，这牢固地构筑了他艺术金字塔的中腰。正因如此，才使林老草书直达金字塔塔尖，直冲云霄。不容置疑的是，林老的书艺成就还得到了传统书论的支撑。

3 林散之《林散之诗集——江上诗存·启功序》，文物出版社，2004年第一版。

4 李不殊编著《黄宾虹、林散之两先生通信考释》，信札（十四）考释中傅雷致汪孝文信。《纪念林散之先生诞辰110周年文集》，作家出版社，2008年第一版。

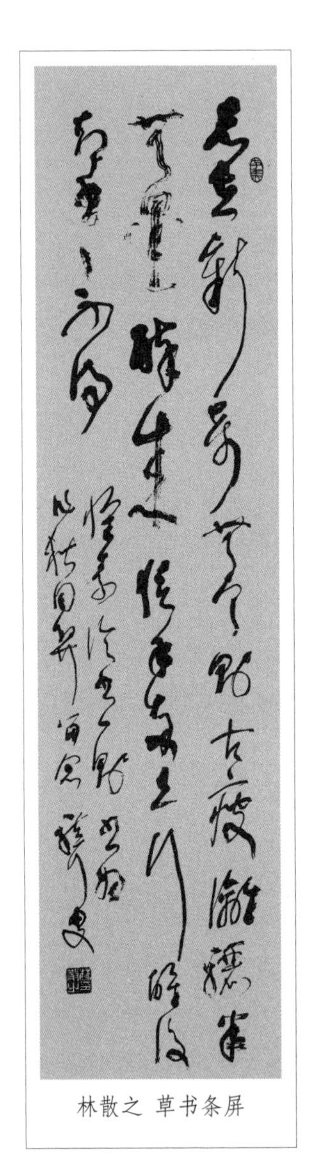
林散之 草书条屏

林散之先生在二十三岁（一九二三年）用三年时间编写了《山水类编》（又称《山水画论类钞》），计二十九卷，共三十五万字。此书稿经宾翁多方筹措最终虽未能出版，但此举在上世纪二十年代也可称是破荒之举。在林老广搜研究古代画论的同时肯定览及书论，因书画同源，古人往往合而论之。正因为林老在青年时代打下了扎实的书画理论基础，故其晚年仍能不假思索地在画上题写画论，能在学生的作业本上及平日的交谈中将早已溶化在他血液里的书论脱口而出，这是不足为怪的。因为林老对古代传统书家及论述均已烂熟于胸。

林老为我们留下的书论文章不多，《林散之书画集自序》应该是一篇比较全面地反映林老的学书经验及书学观点的文章。此外就散见于他平时的笔谈书法及论书诗中。

林散之先生因双耳失聪，故与先生交谈多用笔谈，凡亲友及学生与之晤对，他有时会口述作答，有时亦以笔代口，因此林老比一般书家留下更多诗书画艺及做人、做学问的笔谈手稿。然因为是铅笔草稿，大多散佚。

我自一九七三年有幸拜在散翁门下，并与其隔墙而居，故能经常侍奉在先生左右。我出于对恩师的崇拜，故凡先生谈艺，我均有笔录，能收的笔谈稿，我也尽量保存收好。但因上班，不可能全部存录。我曾请林老的长子林筱之先生有机会将林老平时口述谈艺录音下来，以备日后整理出版。不想林老不愿这么做，他说自己所述的观点古人均已说过，故只能作罢。不过，散翁论书确实基本上均在古人传统书学范围之内。只不过有所侧重与偏好，那亦即是他的书学理论。

林散老论书首先强调人品。人品即艺品，学写字先要学做人。所谓“书如其人”，就是什么样的人写什么样的字。他老人家一再告诫学生不能光练字不读书，字写得再好也只是个写字匠，只有多读书才能改变气质由俗变雅。

他要求学生先学楷书，次学行书，最后学草书。他所开的入门碑帖也有一个共同的特点，即由刚入手。楷书学柳公权、隶书学《礼器》、行书习《王圣教》、草书临王羲之《十七帖》及孙过庭《书谱》，都是骨刚佳帖。这也是先生身体力行的切身体会。他老人家早年书作刚挺劲健，直到七十以后才由百炼刚化作绕指柔，这柔润的笔画始终骨力内含。这是遵循孙过庭“假令众妙攸归，务存骨气；骨既存矣，而遒润加之”的理论力行的。

散翁书作的结体也完全与孙过庭所云“初学分布，但求平正；既知平正，务追险绝；既能险绝，复归平正”的理论相吻合。林老晚年自称“趣味随着年龄而变化”，“老年爱平淡天真的字”。[5]林老九十岁前后的草书结体平正，字字独立，且多用淡墨书写。这与董其昌在《容台别集》中云：“作书与诗文同一关捩，大抵传与不传，在淡与不淡耳。”“苏子瞻曰：‘笔势峥嵘，辞采绚烂，渐老渐熟，乃造平淡，实非平淡，绚烂之极。’”[6]是一个道理。

林散老经常给学生摘录古代书论名著，如智果《心成颂》、孙过庭《书谱》、《群玉堂米帖》、笪重光《书筏》等。尤其是笪重光《书筏》林老对其推崇备至。我十分荣幸

5　陆衡整理《林散之笔谈书法》十·杂谈，古吴轩出版社，1994年6月版。
6　董其昌《容台别集》，明崇祯三年刻本。

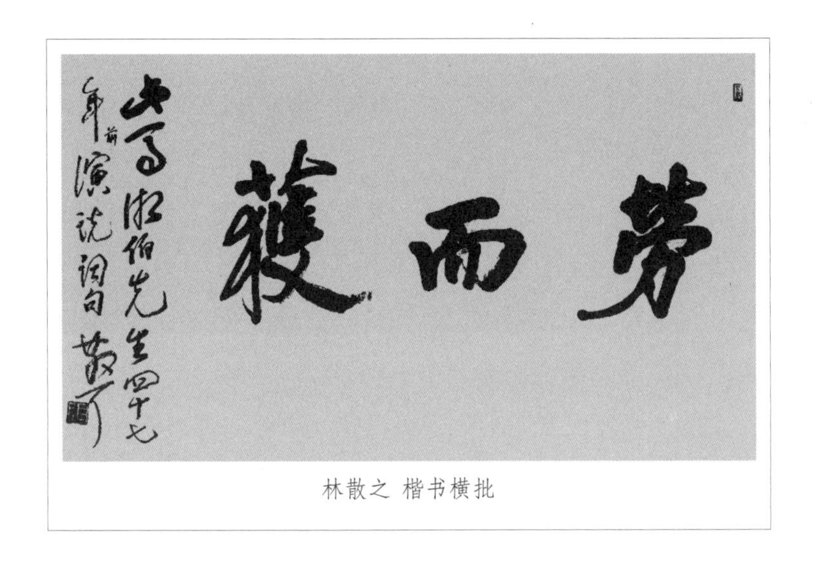

林散之 楷书横批

能得到先生的厚爱，他整整花了两个多小时为我抄写了一通笪重光的《书筏》，并且还不止一次地给我们逐句解释通讲过。散翁对《书筏》的偏爱，肯定受宾翁的影响。因黄老编的《美术丛书》共四十辑，一百六十册，而第一册的开篇之作即为笪重光《书筏》，后有王梦楼题跋：“此卷为笪书中无上妙品，其论书深入三昧处，直与孙虔礼先后并传，《笔阵图》不足数也。”[7]评价极高。鄙以为此篇书论为清代碑学兴起之前，传统帖学技法理论的集大成者。全文虽只寥寥二十九则，八百七十二字（包括王文治跋文），但言简意赅，涉及书法的执笔、运笔、结体、章法、墨法，可以说包罗传统书法帖学技法的全部内容。散翁的书法实践创作也是以《书筏》作为理论基础的。

7 笪重光《书筏》王文治跋，黄宾虹、邓实编《美术丛书》第一册第一篇，江苏古籍出版社，1986年第一版。

林散之先生长成于民国初期，书学受碑学馀威的影响，因此林老涉足碑学是必然的。他对碑学理论了如指掌，他曾遍临汉魏碑版：

> 于汉师《礼器》、《张迁》、《孔宙》、《衡方》、《乙瑛》、《曹全》；于魏师《张猛龙》、《贾使君》、《爨龙颜》、《爨宝子》、《嵩高灵庙》、《张黑女》、《崔敬邕》。[8]

每天“悬腕一百个分书写下来，两膊酸麻不止”[9]。直到七十五岁他名扬天下，也仍然坚持临写汉隶功课。但林老学碑妙在从他的书作中看不到一丝北碑倔强蛮横的气味。这与他的诗书画的丰富学养有关，由于他有极深的学养的消化机制，足以将碑意融化为书卷气、雅气表现出来。他能将碑意化解成草书笔画的曲中求直，直中寓曲的壁坼痕、屋漏痕。当然这种碑质帖貌的突破，也是由量变到质变，由渐变到突变的过程。林老中壮年，甚至六十岁以前的书作，始终遵循笪重光《书筏》所要求的，将笔画写得“如金刀之割净”，线条劲挺有力。随着年龄的增加，学养的丰厚，临池功力的深厚，笔画也逐渐由光而变为毛，由直而变为曲，由实而化为虚。这是林老碑帖结合的最佳模式，也可以说是对中国传统书法创作技法的一大贡献。他的草书线条有时沉郁遒练，如万岁枯藤；有时虚无缥缈，如袅袅炊烟；给人如梦如幻，不可名状，羽化而登仙的感觉。当然，其中不排除有山水画皴法技法的自然融入。如果我们将他的精品佳作与古代大家相比，我们会惊讶地发现这是苏黄米蔡、赵孟頫、祝允明、董其昌、王铎等均未达到的化境、逸境、仙境。鄙以为这又与散翁能活到九十二岁，比他们都长寿有关。这

8 《林散之书法选集·自序》，江苏美术出版社，1985年第一版。

9 陆衡整理《林散之笔谈书法》十四·谈本人，古吴轩出版社，1994年6月版。

与年龄、阅历、功力、学养等渐次增长有一定的关系。假设林散老跟他们一样只活到六十多岁，那么也不可能有草圣林散之了。

综上所述，林散之先生能成为当代草圣，决非偶然，是他执着追求，努力勤奋的结果，他在诗画上取得的极大成功，更进一步提高了他的书艺成就，再加上他读万卷书，行万里路（三十多岁孤身一人徒步入川，行程一万六千里），这一切的相辅相成，最终促使他登上草圣的宝座。他的成功经验，以及他宝贵的诗、书、画财富，还有他珍贵的论书笔谈，都是我们学习的范本。

二〇一二年六月

目 录

一、立品

立志。不要妄自菲薄。

人生多苦难,有点艺术,是安慰。

没有真性情,哪能写出好东西!

一个人要有癖好。古人语,不要友无癖者。因有癖,才有真性情,真心得。一个人一生要有一好,如无文艺,就没得谈了。总要有一行。

——与单人耘谈

古人大家,不如作风(原文如此,疑有笔误),有气概,有风度。……不同凡人,总要立足千古,不同一切凡人。

张××是个狂人,也无祖国之心。事变跑到外国,流浪,卖画,后来又跑到台湾,不到大陆,居心可知。徒以画点画糊糊市人眼目,立品何在?

——与陈慎之谈

不假就是君子。

人无癖不能与之交,以其无至情也。

与俗客晤对,无话可谈,令人厌倦。

虚名易得,实学难求。

要好好学,不要与别人争时名。不要套上虚名,忙于应酬就不行了。古人说:无冥冥之志,无昭昭之功。

学为时用。学问之道无他,诚而已。

要读有用的书,开卷有益。

事事都有作为。学问要有点真东西,大小不拘,这才是读书人的气概。

古人成功,都有他的心得。要把他的心得接受过来。

学问要专,不要躁。

业精于专,精力不能分散。

——与冯仲华谈

要踏实,不要好高骛远,要多读书。

待人以诚。知之为知之,不知为不知,不能吹,不要作假,要戒骄戒躁。

与朋友交必能尽言,扬善改过,不能如此,只好避之,不与同恶也。

——与庄希祖谈

学字就是做人,字如其人,什么样的人,就写什么样的字,学会做人,字也容易写好。

学问不问大小,要学点东西,不要作假,要在实践中体会,到了一定阶段就会有体会,受益。

做学问要踏实,不为虚名,不要太早出名,不要忙于应酬,要学点真东西。

学书先作人,人品即书品。

——与桑作楷谈

不要学名于一时,要能站得住,要站几百年不朽才行。若徒摹(通“慕”)虚名,功夫一点无有,虚名几十年云烟过去。

——与张尔宾谈

现在社会上风云变动不定，一切不与人争，只与古人争一地位。这是个目的。

——与徐利明谈

搞艺术是为了做学人，学做人。

做人着重立品，无人品不可能有艺品。

做学人，其目的在于运用和利人。

学人的心要沉浸于知识的深渊，保持恒温，泰山崩于前而不变色，怒海啸于侧而不变声。有创见，不动摇，不趋时髦，不求艺外之物。别人理解，淡然；不解，欣欣然。

谈艺术不是就事论事，而是探索人生。

做学人还是为了做真人。

艺术家必须是专同假、丑、恶作对的真人，离开真、善、美便是水月镜花。

——《林散之序跋文集》

二、论法

定时、定量、定帖。

最好每天早晨写寸楷二百五十个，临摹柳公权《玄秘塔》，先要写得像，时间最少三年，因为这是基础。

学书法必积诸家之长，聚为一体，斯为大成。不能斤斤于一家，死守一门，此为小学，不能大就，切忌！

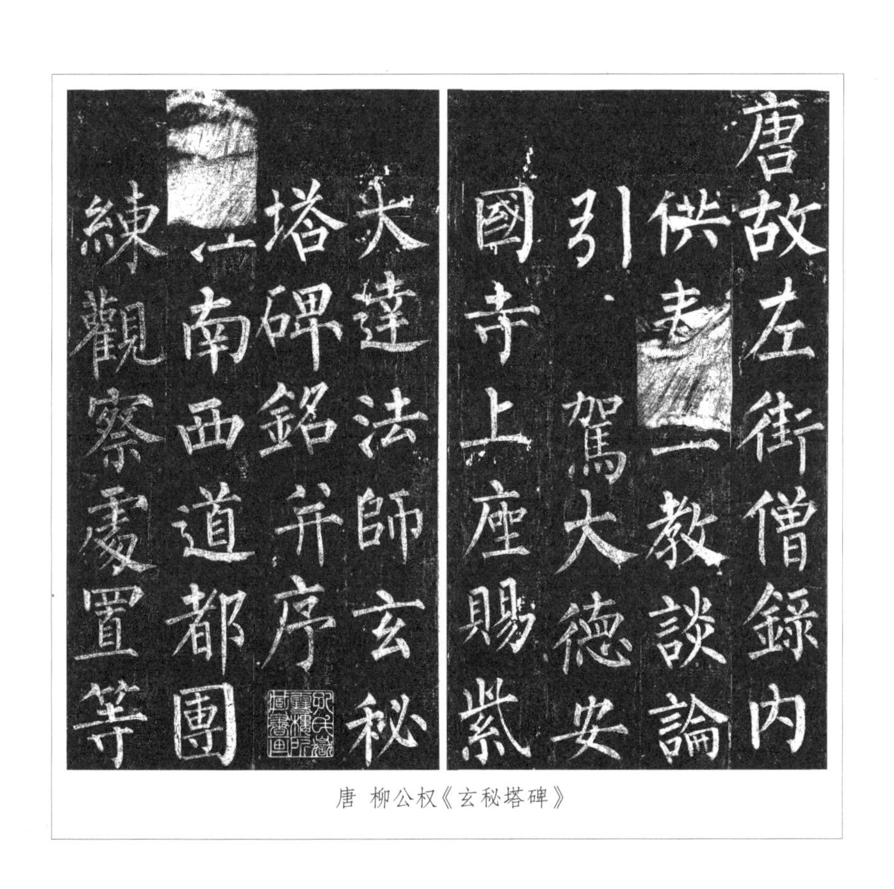

唐 柳公权《玄秘塔碑》

写字，一定要研究笔法和墨法，要讲究执笔，讲究指功、腕功和肘功。写字时要做到指实掌空，先悬腕而后悬肘；临帖要先像后不像，先无我后有我，先熟后生，有静有动，意在笔先，抱得紧放得开。日久天长，就能达到瓜熟蒂落，熟能生巧的境界。

吃过饭不能写，人来了，手又虚。他们不知道写字规矩。一鼓劲写下去好。

——与范汝寅谈

字，笔笔相顾，笔笔用力。不可轻轻拖过，反纸视之墨痕之轻重恒等为佳，所谓力透纸背。

把力量含在温润里，如唱净（京剧净角），扯起嗓子拼命喊，谁还愿听？把气捺在纸上，入木三分，力透纸背。

笔，直来横下。会看书法的要看笔画当中。

东坡（苏轼，号东坡居士）论书，掌虚，指实。

外圆内方。无圆不方，无方不圆。没有全圆的。今人学颜（真卿），往往把笔揉裹，使之滚圆，不是法。王觉斯（王铎，字觉斯）草书圆中有方。

笔笔留。笔笔涩。何绍基字正如此。

书家要懂刀法，印人要懂书法。

写字忌滑，滑就留不住。

寸楷即可悬肘。

“雨淋墙头”是力，与“壁坼”、“屋漏痕”相类。

有笔才有墨，笔用不好，哪有墨？

墨有焦墨、破墨、积墨、渍水染墨之分，有深浅浓淡干润之用。

写字要有墨法。浓墨、淡墨、枯墨都要有。字“枯”不是墨浓墨少的问题。

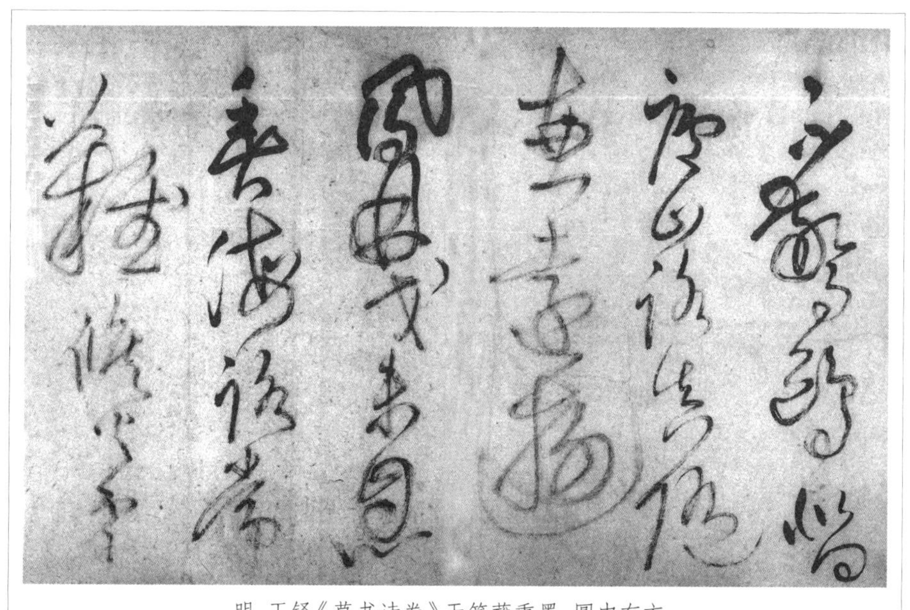

明 王铎《草书诗卷》干笔蘸重墨,圆中有方。

多搞墨是死的,要惜墨如金。

怀素能于无墨中求笔,在枯墨中写出润来,筋骨血肉就在其中了。

王铎用干笔蘸重墨写,一笔写十一个字,别人这样就没有办法写了,所谓入木三分就是指此。

书法有邓石如诀曰:知白守黑。即紧处紧,空处空,在得势也。

过北极阁观树,谓一大一小,俯仰有致。树枝有闪避,书法上也有闪避,伸枝与阳光空气有关。老树婆娑有致(有力量),小树无甚可观。

以方学颜(真卿)。颜从六朝来,得力于《吊比干》。要上溯颜书源派。

隶字从方笔入手。

写汉隶不能写样子,要写精神,学用笔。

不能以圆笔写《张迁碑》。《张迁碑》为方笔。

以真书作草,笔杆直,不要撩出,笔杆斜飘那就滑了。

多读书则无匠气。多写字则有笔力。

东汉《张迁碑》　　北朝《吊比干碑》

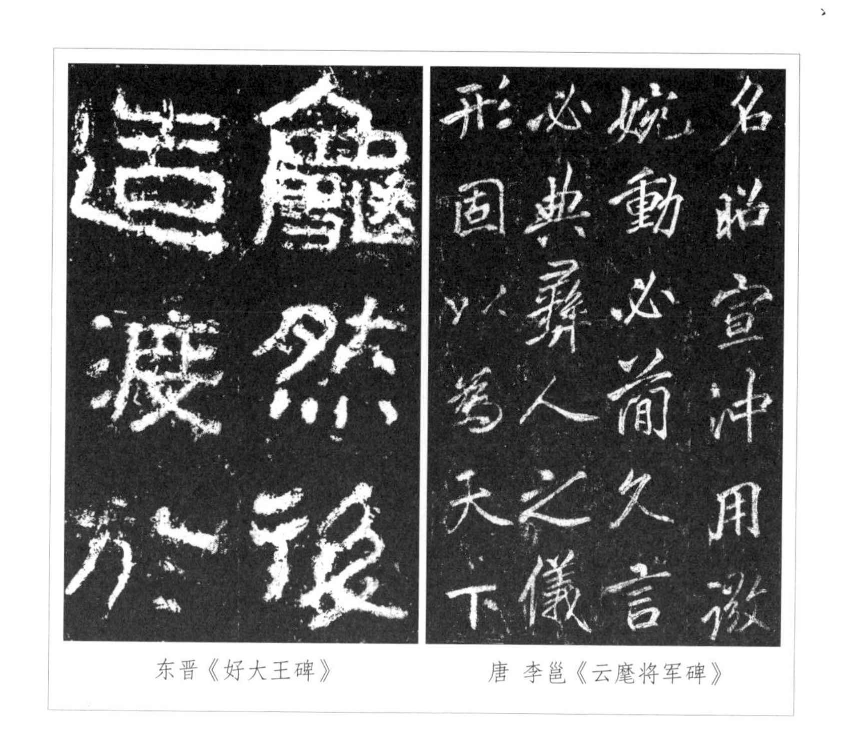

东晋《好大王碑》　　唐 李邕《云麾将军碑》

功夫要由生(到)熟,由熟而生,由生再到熟。一般人由熟到生即不易。

书法先正楷、行书而后隶篆。《大王碑》、李北海可学。先使笔有力,继则退火气,使气魄遒劲而纯。

悬腕写字。写寸大字,每天二十分钟。时以指画膝,也是功。功积累而成。

古人云:业精于壹荒于乱。古代大书家只专一两种,怕分散精力。不能见异思迁,浅尝辄止。

颜(真卿)、柳(公权)、李(邕)他们汉碑、篆书等都不写,怕分散精力。欧阳修原也学画,后来就把画丢了。多而荒,不要好奇。

南朝《爨龙颜碑》

樂毅論　夏侯泰初
世人多以樂毅不時拔莒即墨為劣是以叙而
論之
夫求古賢之意宜以大者遠者先之必迂迴
而難通然後已焉可也今樂氏之趣或者其
未盡乎而多劣之是使前賢失指於將來
不亦惜哉觀樂生遺燕惠王書其殆庶乎
機合乎道以終始者與其喻昭王曰伊尹放
大甲而不疑大甲受放而不怨是存大業於
至公而以天下為心者也夫欲極道之量務以
天下為心者必致其主於盛隆合其趣於先
王苟君臣同符斯大業定矣于斯時也樂生
之志千載一遇也亦將行千載一隆之道豈其
局迹當時止於兼并而已哉夫兼并者非

东晋　王羲之《乐毅论》

平时不能随便“瞎画”，要认真写，否则养成不良习惯，要把字写滑写坏的。

少而精。行行行，行行行不行。画中有山水，花鸟，人物，要专攻一样。

三十几岁，下功夫非晚。汝有点基础。高适五十岁学诗。

印光大师三十年不下楼，终成大师。

书法自魏晋六朝入手，如《爨龙颜》，方笔，再到唐人。小楷严整不苟，写柳公权《破邪论》，王羲之的《乐毅论》、《黄庭经》。

有功夫，就老了。

才，学，识。才，是天资；学，是学问；识，是见识。三者要俱备。

学书画要名师指点。一线之隔，隔一纸，一点即悟。

学六朝，不能硬，硬了些扭不过来了。

苏轼也只写行楷，不写篆隶。

——与单人耘谈

[陈慎之问：为什么日本人写的这么好？]

学的高，非晋唐法帖不写，所以不俗，法乎上也。

功夫须在用笔，画之中间要下功夫，不看两头看中间，笔要能留。

把墨放上去，极浓与极干的放在一起就好看，没得墨，里面起丝丝，枯笔感到润。墨深了，反而枯。枯不是墨浓墨淡。

——与陈慎之谈

用笔的要点是：重、留、圆、平，最忌轻、滑、扁、尖。

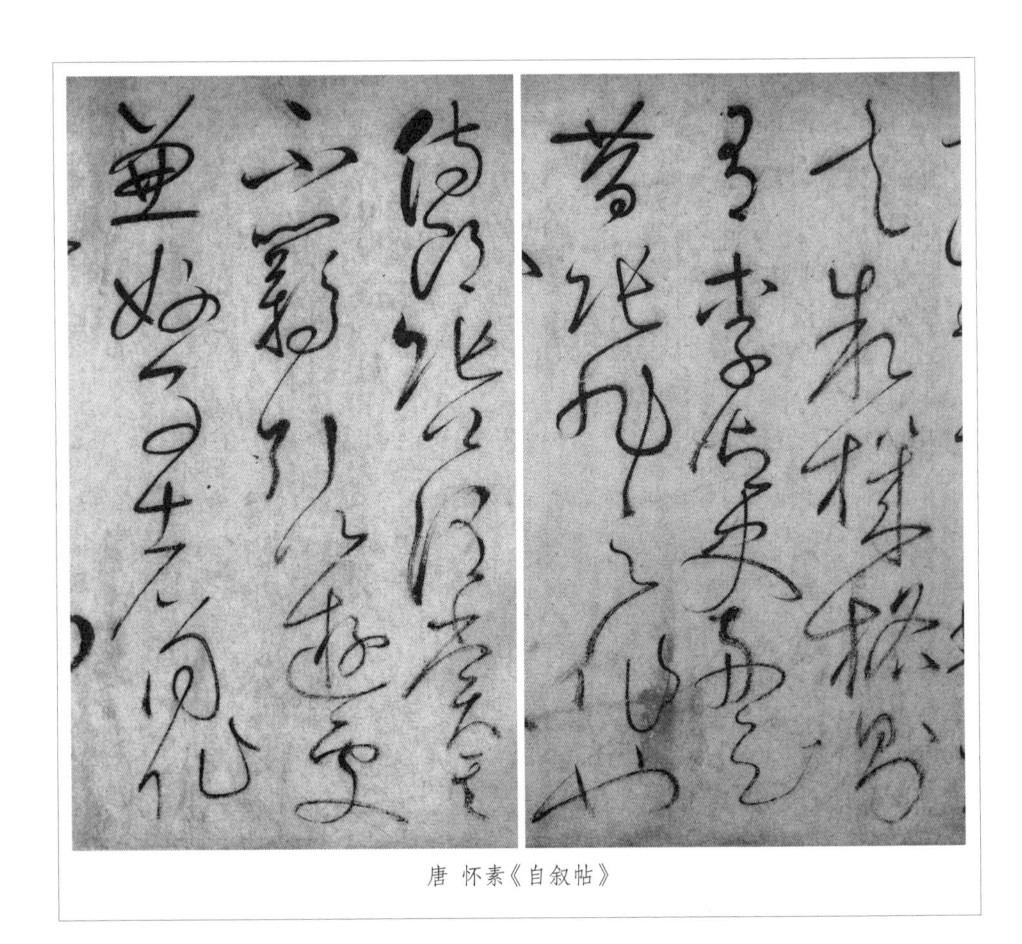

唐 怀素《自叙帖》

明 王铎《草书诗卷》　　唐 怀素《自叙帖》

用笔宜拙,不可求巧。

圆是要功夫的。没有功夫再粗也是扁的。有功夫,细如发丝也是圆的。

写行书也和写楷书一样写,不然就滑。

字要八面生风,由光到毛,就是笔锋。

凡作字,宜圆转平稳。圆则不扁,平稳则不滑,不尖。尤宜枯而能腴,重而不浊,习之日久,自能领会。

大胆用笔,干笔蘸重墨写。王觉斯(铎)一笔写十几个字,别人这样就没得办法了。所谓入木三分就是指此。把墨放上去,极浓极干的,放在一起就好看了。名家有这个窍门。

要无墨求笔,在枯笔中写出润来。筋骨血肉就在这中间找。练久了才有这个心得。怀素墨迹中可见,他没有墨也能写出来。

写字要长锋,长锋吸墨多,不能甩。

用笔要圆,以笔法追踪刀法,就有样了,这是刀刻的。用笔可用羊毫和中白云。写小字肘也不能死贴,这样肩部的气才能下来。

没得墨,里面起丝丝。枯笔感到润,墨浓了反而枯。枯不是指墨浓墨淡。古人用墨如漆。

写字要有墨法,浓墨、淡墨、枯墨都要有。

不可不知布白。

字要松,又要紧,要笔笔拆得开,不能粘,粘了脱不开。

讲究白,让得开,松得很,从容不迫。懂得这个窍门,就能看古人的东西。

碑要看空白处。

字画不粘,气要通,不让它粘一笔。这是虚,虚中有实。要讲究笔笔拆得开。写字

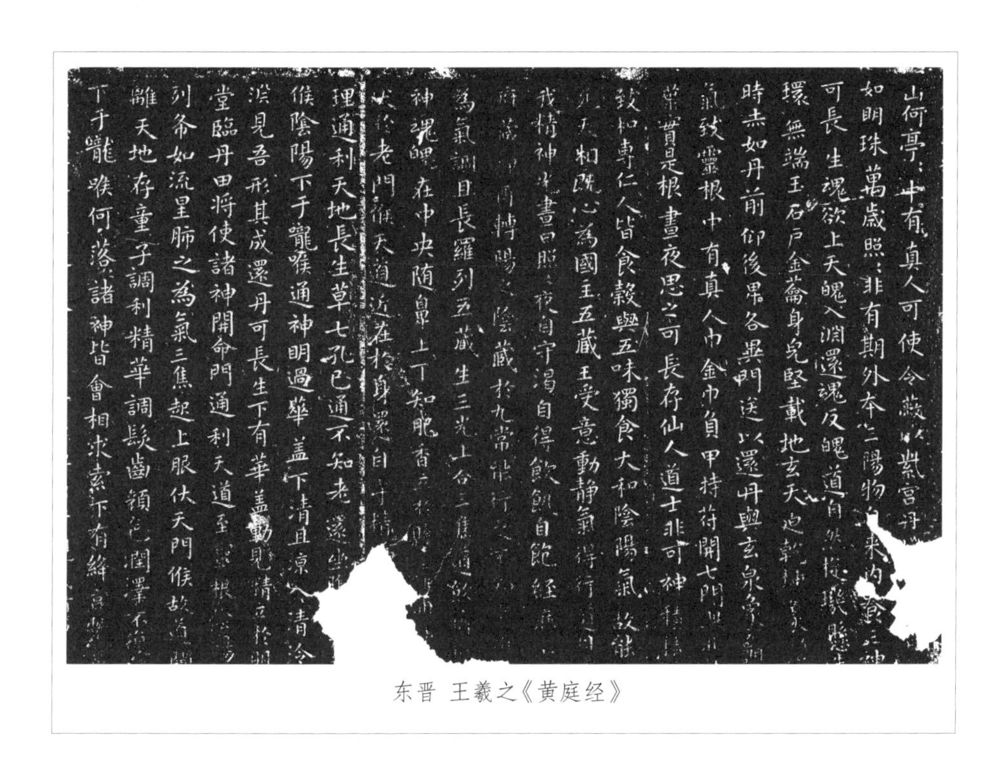

东晋 王羲之《黄庭经》

要计白当黑。刻石就要刻白的，光刻黑的就死了。六朝的碑，笔笔离开。古人的碑都是如此。

长舒左足，回转右肩。

楷书、行书要写得松，不要满，气要圆。

所书小楷，似学《黄庭》，很稳，圆，不俗，可喜可喜，即可循此道路学下去，自能成就。

唐 孙过庭《书谱》

写草书要留，一留就厚了，重了，涩了。

临《书谱》要化刚为柔，百炼刚化为绕指柔。

学《书谱》最难就是要写出虫蛀文来，笔划象虫蛀过一样。

古人谓，百炼刚化为绕指柔。这就是要花千锤百炼功夫，才能把铁炼成绕指柔。古人是不会欺人的。

黄宾虹最喜欢的对联是：“何物媚人，二月杏花八月桂；是谁催我，三更灯火五更鸡。”

真师难得。要名师口传手授。熟读深思理自知。

须从楷书入手。楷书宜学六朝和唐各大家，以后由楷入行、入草，法备而不逾规矩。

楷书写唐朝的，行书写宋朝、明朝的，草书要迟一步。

唐人、北宋人写的什么，照他们的脚步走。

隶书、楷书、六朝都写写。

汉碑写多了，就能自成体裁。

临孙过庭甚佳。学大王（王羲之）者，唯孙氏能得真诠。安吴包世臣一生学过庭，颇得用笔真理。

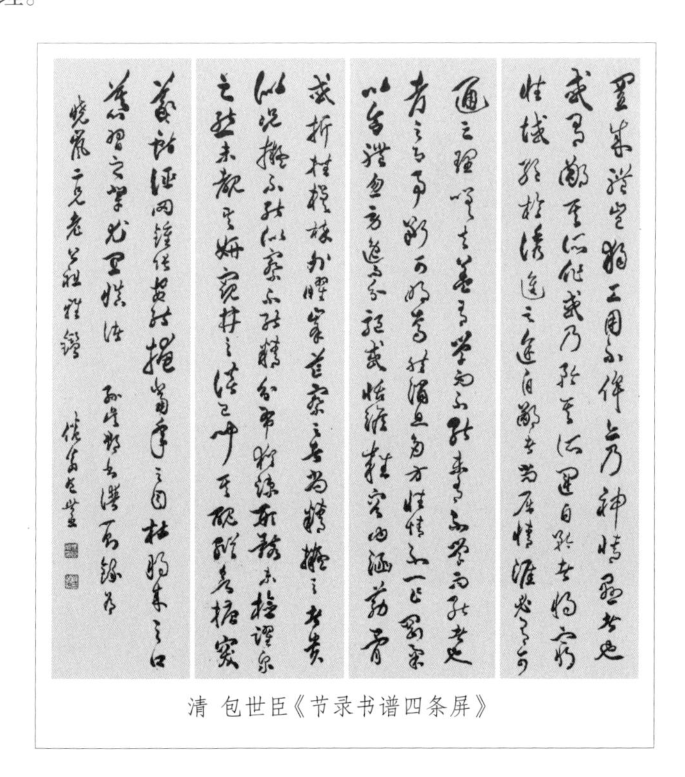

清 包世臣《节录书谱四条屏》

唐 怀仁《集王羲之书〈圣教序〉》　　北宋 米芾《苕溪诗帖》

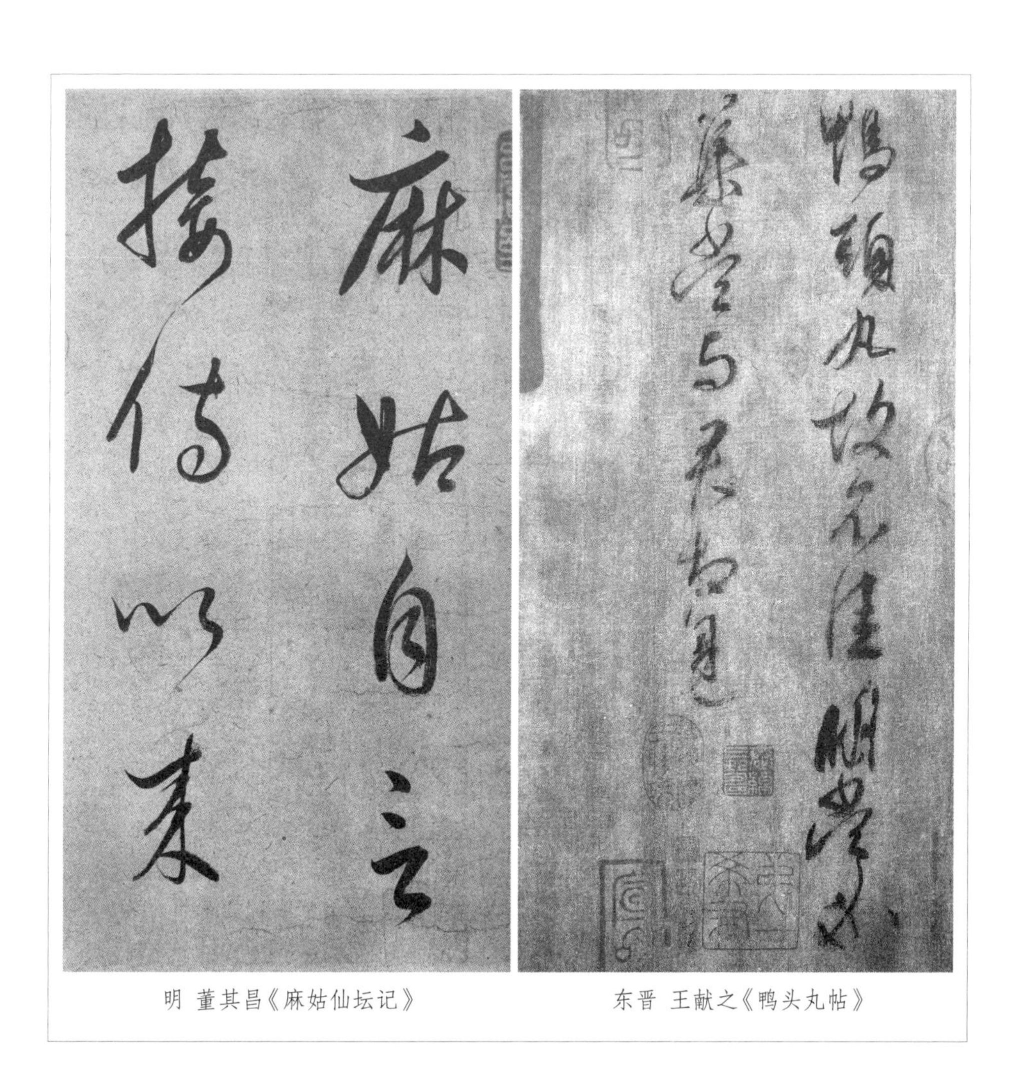

明 董其昌《麻姑仙坛记》　　东晋 王献之《鸭头丸帖》

行书写《圣教序》和米南宫（米芾，宋徽宗诏为书画学博士，人称“米南宫”）、董其昌。董字秀得很。要学秀，拙从秀出，单拙就笨了。

没有功夫就不能写行书，更不得写草书，笔按不下去。

要从楷书入手。行书根据楷书来。楷书写得好，行书就好。

熟中求生难。

古人论书有惊鸿薄雁之句，是形容书法的，所以由学书而到湖边看飞鸿，影落平沙，印证书法很是恰当。

临古人精神，不是躯壳。

写欧（欧阳询）字不能瘦，颜（真卿）字不能肥。

临是一部分，自己的意思又是一部分。胆子放大一点，不像不要紧。

临碑不能字大小一样，要有大小，气要通要虚，越瘦越难写。

工整有余，风华仍欠，今后宜从开展发挥，力求自家面目，不必太守矩矱。大令（王献之，官至中书令）所以不同右军（王羲之，官会稽内史，领右军将军）者，有自己面貌也。

学字要才、学、识。“才”，是自己的本能，指天资，但单纯靠此不能成功；“学”，是学问，“学”的时间最长，三五年，几十年，在古人里面钻；躯壳脱掉，写出自己的面貌来要“识”，增长自己的胸境。境界就是书卷的流露，书读多了就有了。

——与冯仲华谈

握笔不可太紧，在虚灵。

右军（王羲之）有四句话：平腕竖锋，虚左实右，意在笔先，字居心后。

东坡（苏轼）讲执笔无定法，要使虚而宽。王右军（羲之）讲执笔之法，虚左实右，

东晋 王献之《中秋帖》　　唐 颜真卿《颜勤礼碑》

意在笔先，字居心后。

包世臣的反扭手筋不行。做作。

执笔要用力。不用力还行吗？要虚中有力，宽处亦见力。颜鲁公（颜真卿，封鲁郡公）笔力雄厚，力透纸背，无力如何成字？王大令（王献之）下笔千钧。力要活用，不要死的；要活力，不要死力。死力不能成字。

枯、润、肥、瘦都要圆

写字要用劲，但不是死劲。是活的。力量要用在笔尖上。……

执笔要松紧活用，重按轻提。

行笔而腕不知，笔随腕走。笔不能甩。

写字要运肘、运臂，力量集中。光运腕，能把字写坏了。腕动而臂不动，此是大病。千万不能单动腕。

腕动而臂不动，千古无有此法。

拙从工整出。要每一笔不放松，尽全力写之。要能收停，不宜尖，宜拙。

笔要勒出刚劲，不能软而无力。

笔要写出刚劲来，笔乱动就无此劲了。

不要故意抖。偶而因用力量大而墨涨出来，是可以的。中间一竖要有力，圆满，不让劲。……写得光润，碑上字的毛，是剥蚀的缘故，不能学它的样子。

笔要振迅。规行矩步是写不好字的。写字要在有力无力之间。……

太快！要能留得住。快，要刹得住。米（芾）字也是骏快，也是要处处能停。

笔笔要留。

写快了会滑，要滞涩些好，滞涩不能像清道人那样。可谓之俗。字宜古秀，要有刚劲才能秀。秀，恐近于滑，故宜以缓救滑。字宜刚而能柔，乃称名手。最怕俗。

现代人有四病：尖、扁、轻、滑。古人也有尖笔的，但力量到。

枯、润、肥、瘦都要圆。用笔要有停留，宜重，宜留，要有刚劲。

平，不光是像尺一样平直。曲的也平，是指运笔平，无棱角。

断，不能太明显，要连着，要有意无意中接得住。要在不能尖。

要能从笔法追刀法。字像刻的那样有力。

要回锋，回锋气要圆。回锋要清楚，多写就熟了

屋漏痕不光是弯弯曲曲，而且要圆。墙是不光的，所以雨漏下来有停留。握笔不可太紧、太死，力要到笔尖上。

厚纸用墨要带水；薄纸、皮纸要用焦墨写。

用墨要能深透，用力深厚，拙中巧。

会用墨就圆，笔画很细也是圆的，是中锋。

用墨要能润而黑。用墨用得熟不容易。

笪重光："磨墨欲熟，破水写之则活。"熟，就是磨得很浓，然后蘸水写，就活了。光

用浓墨,把笔裹住了,甩不开。

写魏碑不能光写《郑文公》,要学学其他的碑。黄宾虹先生就是写的《郑文公》……《郑文公》很好。

字要写白的。

要不整齐,在不齐中见齐。字字整齐就如算子了,是死尸。

要在有意无意之间接得起来,字要满,八面都满也就是紧。

字要八面都满,力透纸背,也就是要“紧”。

字要有大小,主要是要有气。……肥瘦大小配合才能有意思。……字要布得紧,有奇形,收缩这一笔是为了让那一笔。……

不能不贯气,气不畅,太老实。要大小、疏密结合。

大小一样,粗细一样,这样不行。要让得开,要松。……

先写楷书,次写行书,最后才能写草书。

写字要从唐碑入手,推向魏汉;再从汉魏回到唐。

宜学六朝碑板,继学二王(王羲之、王献之),再进而入汉魏,其气自古不俗。草书宜学大王《十七帖》精印本;行书宜学僧怀仁《集圣教序》,有步可循,自然入古不俗矣。

学近代人,学唐宋元明清字为适用。

唐宋人字,一代一面貌,各家各面貌。他们一个也不写汉隶,因为用不上,练练笔力是可以的。但要先学楷、行。

李邕说:“学我者死,叛我者生。”要从米(芾)、王觉斯(王铎,字觉斯)追上去。

欧阳修青年时代诗、文、书、画样样学。有人说你这样不精一项是不行的。于是,他便专攻诗、文,成了大家。人的精力是有限的,不可能样样都精。因此,学要专一。

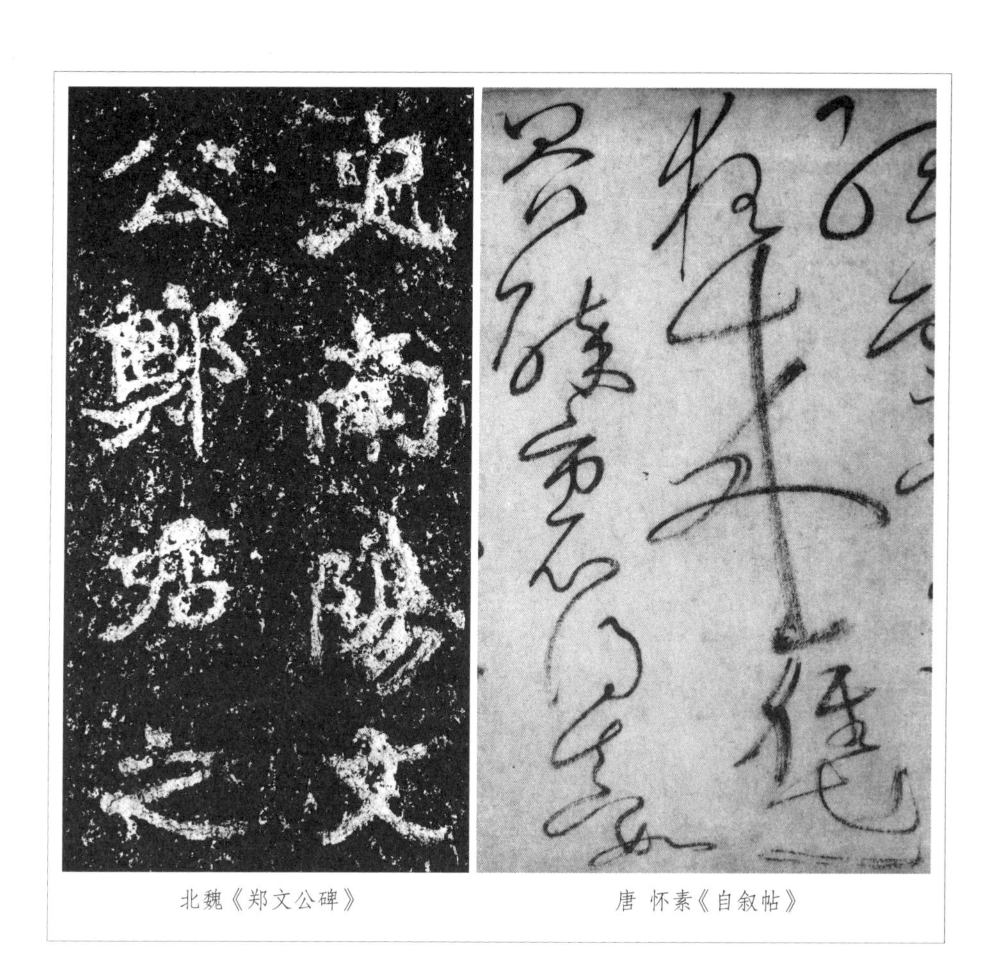

北魏《郑文公碑》　　唐 怀素《自叙帖》

东晋 王羲之《十七帖》　　唐 怀仁《集王羲之书〈圣教序〉》

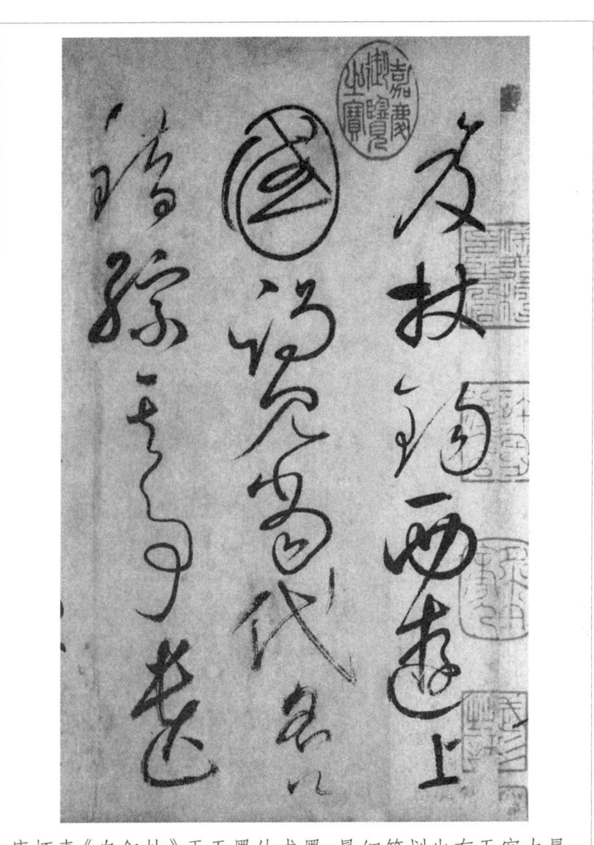

唐怀素《自叙帖》于无墨处求墨，最细笔划也有无穷力量。

元 赵孟頫行书《吴兴赋》　　元 赵孟頫草书《千字文》

怀素在木板上练字，把板写穿了，可见苦练的程度。也因为这样，千百年不倒。……

多种帖多写一些有好处，但要化为自己的体。怀素就是写他的草书，赵孟頫是行书，苏（轼）、米（芾）也就是那么二种行书体，而不是正、草、隶、篆样样精通。

真学问是苦练出来的，做不得假。可用淡墨汁或水多写写，手腕活。

东汉《乙瑛碑》　　　东汉《礼器碑》

快，要刹得住。所以要学隶书，因为隶书笔笔留得住。

初学汉碑最好学《曹全》，结构很严谨，又紧、又松。

汉碑主要难在气上，要贯气，点画之间要有呼应，要笔笔留。但不是抖出来的，方笔也要见圆。

汉隶写得抖抖的，好掺假。

《乙瑛碑》是从《礼器碑》出来的。

画先专习一家，次变及他家，后参以己意，创出一格。字、诗同此。

书法要有功力。临摹要与古人合，然后要与古人离，要有自己的。人家看不出是哪一家。要钻出来。

字多看几家。

入得深，才能出得显。

要能钻进古人，跳出古人。古人骂笔笔似的字为书奴。现在即使做书奴都不容易。

临字要在似与不似之间，就能成功了。很多人学书，都是求像，专求形似，所以不能成功。需要摆脱一切，单刀匹马，直冲直入，此真能成学书者。

字要有粗细。不像不要紧，要学它的气势。

现在你能写熟了，要生，要有粗细，要用重墨。你不敢用，大小一样，粗细一样，这样不行。要让得开，要松。……要细读碑，不能粗粗一看就过去了。

怀素的《自叙帖》学二十年不一定写得进去；进去了，再写二十年不一定出得来。

米芾也是骏快，也要处处能留。快要刹得住。所以要学隶书，因为隶书笔笔留得住。

大凡习草字，专求快锋，转折太露角，不如古人浑脱，温柔之气盎然。所以右军（王羲之）为千古巨子，不能随便视之，宜细玩而深求之，其味自然见之也。

草字要让得开，如鸟从树中飞过而不碰一片叶子，如蛇在草中穿行而不碰草。

写草一定要悬肘。

草字要写得圆，不能有角。要大小搭配得好，要让得开。有的行写斜了，但仍然很好看。蘸一次墨可以写好几个字，枯了还是润的，但不弱，仍然笔笔圆。笔一转，又有

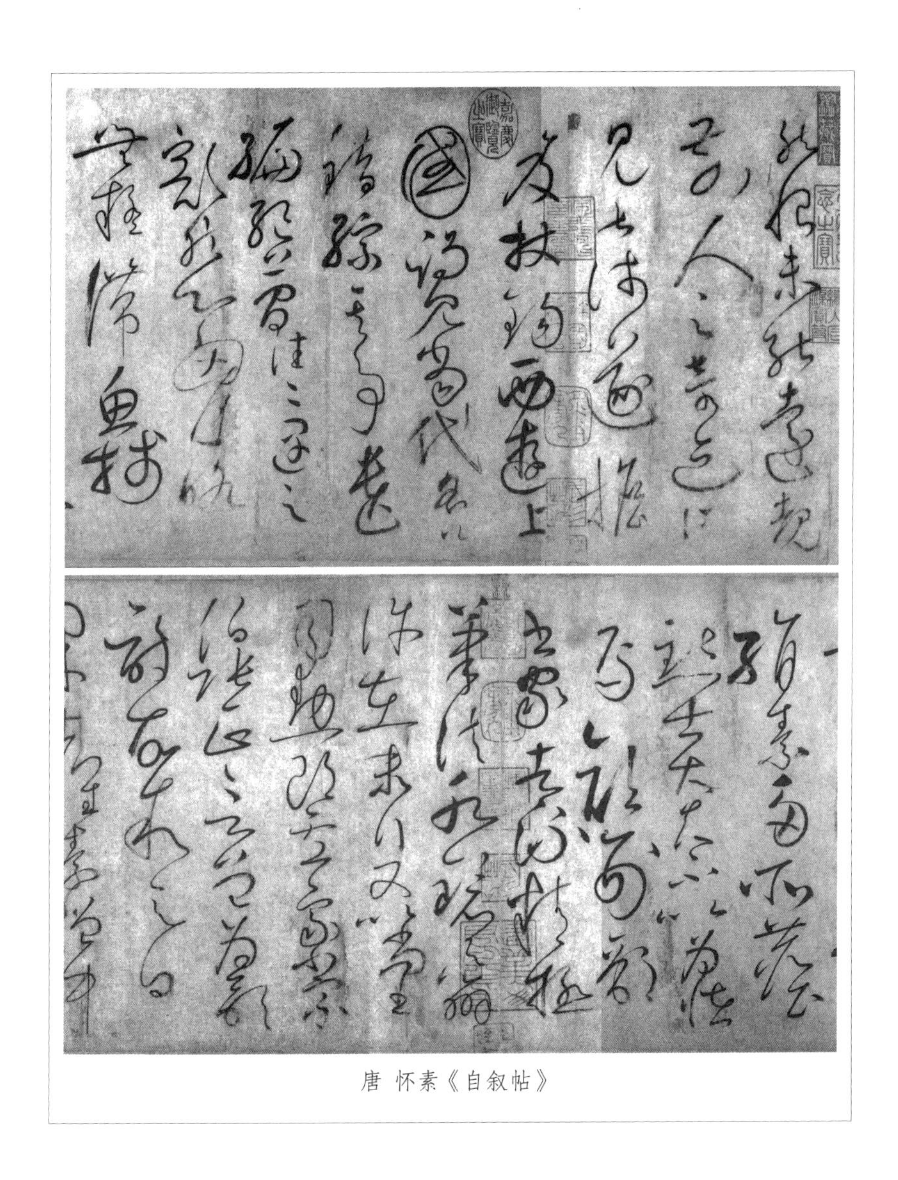

唐 怀素《自叙帖》

唐 李世民《晋祠铭》　　北魏《张猛龙碑》

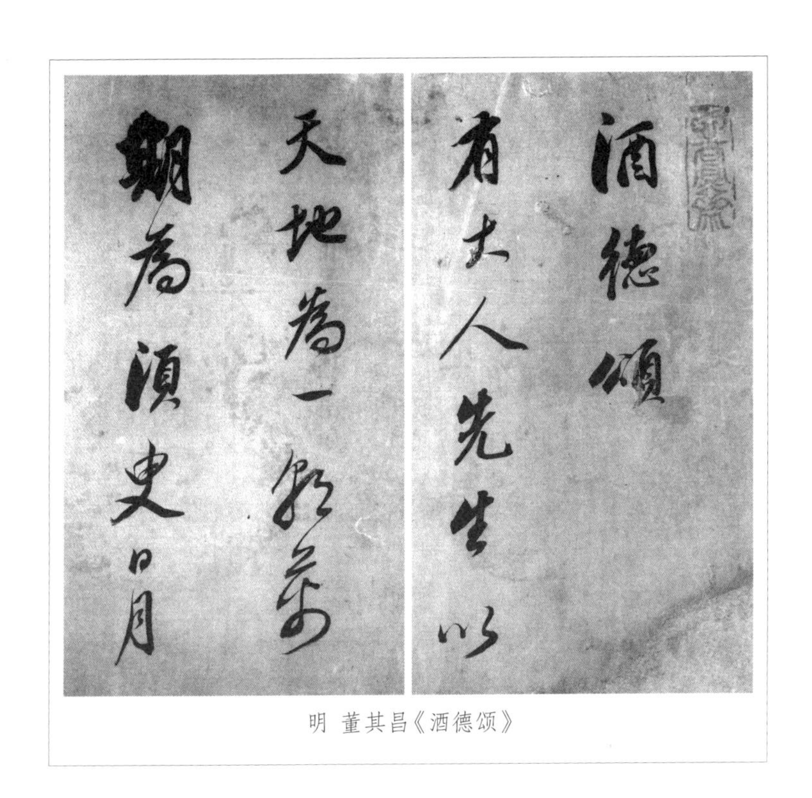

明　董其昌《酒德颂》

墨了，还能写几个字。

行书用处大。宋、元、明、清都讲究行书。行书要紧密，又要开展。

学草写草是写不出来的，留不住。用楷书笔法写草书才行。

写字愈工愈俗。

要有胆气、奇气、精神。

要收得紧，要放得开，要纸墨相称合一耳。要眼明手辣。

拙、活，两者都要。

北宋 苏轼《黄州寒食诗帖》

唐 颜真卿《湖州帖》

我学汉碑已有三十几年，功夫有点。学碑必从汉开始。每天早上一百个字，写完才搁笔。……

我学书初学唐人，后改六朝，稍去唐人娟媚之习。草书学王右军。……

我临的魏碑，《张猛龙》最多，有两部橱高，都被人烧了。若留下来人各一册，学学也可以。

我临的《张猛龙》是精力聚中、精神所至而成，每天早晨百字功课。

——与庄希祖谈

字硬、直，无味。

字，不看两头看中间，每一笔不放松，尽力写之。

作书要用全身力气，执笔要实而不死，字才能显出精神。

唱歌，要用胸腹的力量唱出来才宏亮有力，写字亦然。

乱中求干净，黑白要分明。

用笔千古不易，结体因时而变，要能理解此中道理。

学写字，二三十岁就要学会笔法。字写的不好，是功夫问题，首先是方法要对，方向要对。这样，随着时间的推移，自然会提高。

楷书学宋人的就很好，楷书是很难的，学好不容易。

向唐宋人学，一代有一代的面目。汉碑，晋人就不学了，练功夫是可以的，楷书学宋人的就很好，楷书是很难的，学好不容易。

现在社会上有一种风气，看到草书神气，一开始学字就潦草。不知草书是经过多少年甘苦得来的，要在规矩中下苦功夫才是正道。

要多看、多学古人的字，这样眼界高。眼高，手才能高。

不能模仿古人形状，学古是为了跳出古人，有自己面目，要写出性情来。

学王（羲之），就是随意浓淡不拘，求神似，不求形似。

学书，不要专取形似，要用力，求神，大小不拘，用墨浓淡不拘，取其神趣。

学问要为现代服务，为社会服务，书法也是这样。读书最重要，不读书就不懂。写字不易太高，唐宋以下的学好就成功了。学钟鼎、篆、汉，那是假的，是抄字，没有趣味，没有用处。

——与桑作楷谈

要近学古之贤者。他们成名不是偶然，实有独到之处。总宜先宜（学）一家，不宜学时人，不宜学近代人。

——与张尔宾谈

写小楷如大楷。小楷宜宽绰而有余；大楷宜紧密而无间。汝小楷已圆演（疑为“满”字），宜从宽绰处用功。大楷宜紧密，则书法之道无余矣。勉之可也。

苏（轼）字宜肉中见骨，宜大胆放笔。不能拘谨。宜将学颜（真卿）字力量用上去，自见新境。

——宋玉麟供稿

古人书法忌尖，宜秃、宜拙，忌巧、忌纤。

古人论笔，用笔需毛，毛则气古神清。

古人千言万语，不外“笔墨”二字。能从笔墨上有心得，则书画思过半矣。

——与徐利明谈

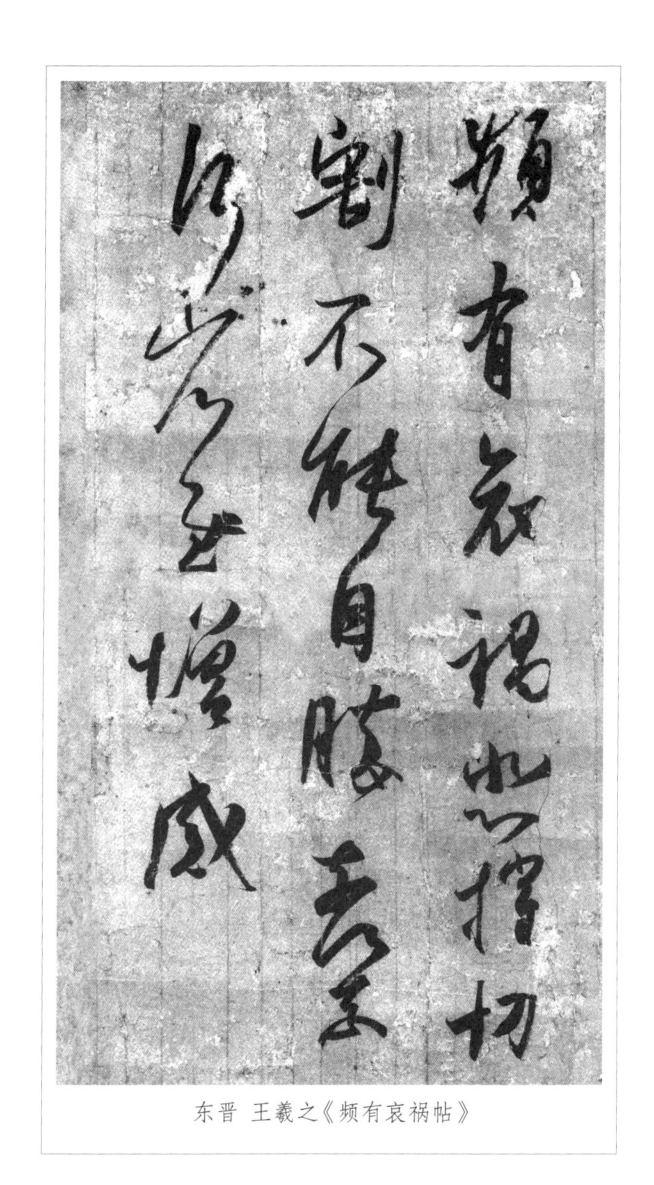

东晋 王羲之《频有哀祸帖》

唐 颜真卿《多宝塔碑》

唐 柳公权《神策军碑》

[顾农问：因为从小没有好好练过毛笔字，现在要学，应如何做？]

只能学学小楷和行书，不能多学了，时间来不及了。

只学点应付就是了。

字与诗是一样的。用功，忌俗。宜求境界，求胸襟。以晋唐为宗。小楷以颜（真卿）、柳（公权）为体；行书以王羲之为本。要花不少时间。神而明之，是以后事。

——与顾农谈

写大字要用臂力，不能光用腕力。用臂力才能力透纸背，这是真力。

写字时手不能抬得太高，也不能拖在下面，要上到下一样平，这叫平肘。……还要虚腕，腕虚才能使手中的笔自由转动，随心所欲。

小孩子学书，要先由楷入行，由行入草，打好基础。否则钉头鼠尾，诸病丛生，要改也就难了。

学楷书之后，应由楷入行，不能一步就入草书。不然，易于狂怪失理，钉头鼠尾，诸病丛生。

我从范（培开）先生学书法，得益颇大。我用悬腕写字全亏范先生的教导。本来我写字是伏在案上，全用笔拖，不懂也不敢悬腕。从范先生学书后方懂得悬腕之法。悬腕才能用笔活，运转自如。

自己十六岁开始学唐碑、魏碑，三十岁以后学行书，六十岁以后才写草书的。

——《林散之》

写寸楷即可悬肘。先大字,后渐小,每日坚持二十分钟,逐渐延长。

无基本功悬腕则一笔拖不动。

圆而无方,必滑。

方笔方而不方,难写。……

可以内圆外方,不方不圆,亦方亦圆;过圆也不好,柔媚无棱角。正是:笔从曲处还求直,意到圆时觉更方。此语我曾不自吝,搅翻池水便钟王。

笔笔涩,笔笔留,何绍基善变,字出于颜(真卿),有北碑根基,正善于留,所以耐看。

古人作书,笔为我所用,愈写愈活,笔笔自然有力,作画也一样。

悬肘是基本功之一,犹如学拳的要“蹲裆”,蹲得直冒汗,水到渠成,便能举重若轻。

游刃有余,举重若轻。

看不出用力,力涵其中,方能回味。

有笔方有墨。见墨方见笔。

不善用笔而墨韵横流者,古无此例。

早年闻张栗庵师(张学宽,字栗庵。散翁业师)说:“字之黑大方圆者为枯,而干瘦遒挺者为润。”误以为是说反话。七十岁后我才领悟,看字着重精神,墨重笔圆而乏神气,得不谓之枯耶?墨淡而笔干,神旺气足,一片浑茫,能不谓之润乎?……“润含春雨,干裂秋风”,不可仅从形式上去判断。

墨有焦墨、浓墨、淡墨、渴墨、积墨、宿墨、破墨之分,加上渍水,深浅干润,变化无穷。“运用之妙,存乎一心。”

墨要熟,熟中生。磨墨欲熟,破水写之则润,惜墨如金,泼墨如渖。

有笔方有墨,见墨方见笔。……笔是骨,墨是肉,水是血。

排列:字的呼吸,不能密排成算子。

邓石如强调"知白守黑"。实则紧处紧,空处空,在于得势。此理书画通用。

《礼器碑》翘脚(挑)细,顿挫用淡墨,难写。

写隶,从接让处看呼应关系,燕尾要出乎自然。

有人告诉我,他的孩子同时练习《张迁碑》与《礼器碑》,两碑虽同为方碑,但个性有别,同时临写,两败俱伤,不能逆规律行事。

古人隶书,同一幅字上,两个相同的字写法各异,各字大小不一,因能入法度又出法度,写来不拘谨。

草书取势,势不仅靠结体,也靠行行字字间关系。

要捉草为正。下笔宜慢,求沉着,要天马行空,看着慢其实快;看着快其实慢。快要留得住,又无滞塞才好。

未有善行草而不工楷书的。

以真书笔法为草书,笔杆直,不要潦草,否则笔杆倾斜,笔画就飘了。

草书运笔直。草书邕志。观蛇斗,惊蛇走草丛;担夫让道。颜鲁公(颜真卿)观壁坼,屋漏痕,有力,两边皆毛。

飞蓬自振,惊沙坐飞。圆转,柔中有力。

飞鸟出林,鸟绕树叉。

怀素说:"夏云多奇峰。"

写字并无秘诀,否则书家之子定是大书家。事实上很多人重复父辈,由开拓趋于保守,修养差,有形无神。

下笔硬的人可习虞世南、米南宫(米芾)、赵孟頫。不宜写欧字,免得流于僵板。

《张迁碑》与《礼器碑》个性有别

东汉《曹全碑》

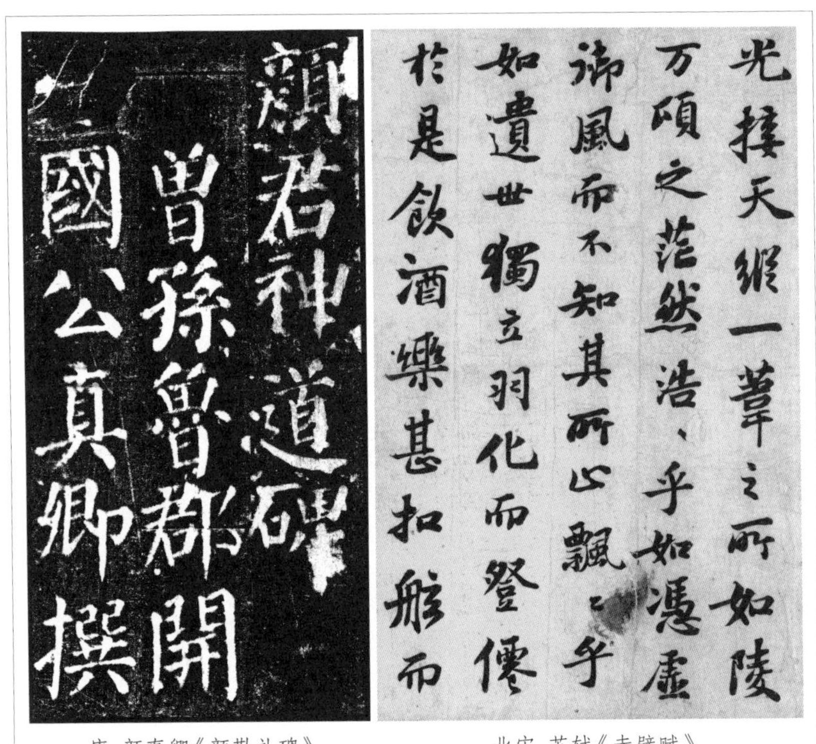

唐 颜真卿《颜勤礼碑》　　北宋 苏轼《赤壁赋》

东坡学颜，妙在能出、能变。

有人开头便学草书，不对。

用功学隶书，其次学行书，唐人楷书亦可。

先赵（孟頫），再米（芾），上溯二王（王羲之、王献之），也是一条路。

听老师讲课，要以食指划自己膝头，使腕部灵动不僵，久之也是一门功夫。

可以写行书练腕力，笔画要交代清楚，一丝不苟，不能滑俗。写张纸条子也不能马马虎虎。滑，不可救药。

天天练是必要的，但要认真不苟。从前杂货铺管账的一天写到晚，不是练字。

人无万能，不可能样样好。……学好一门就不容易！

怀素只以草书闻名。

东坡（苏轼）学颜（真卿），妙在能出，能变，他只写行、楷；米南宫（米芾）未必不会写篆隶，但只写行，草也不多；沈尹默工一体而成名。

得古人一、二种名帖，锲而不舍，可望成功。

对碑帖看不进去的人，肯定学不进去。

字写得似古人，不难；不似古人，大难。

说句内行话不难，写出个性、格调难。

创造是自然规律，不是人为拼凑，功到自然成，写出李北海（李邕，曾任北海太守），达到不似之似，有神韵又不全似，方为脱胎。

学古人能学到一点就行，照葫芦画瓢，没有意义。

现在好多人下笔便草，写得一塌糊涂，真是谬种流传，我看了很痛心。我赠他们几首诗，不是讽刺，希望能改。

其一：满纸纷披独夸能，春蛇秋蚓乱纵横。强从此中看书法，闭着眼睛慢慢睁。

其二：更羡创成新魏体，排行平扁独成名。自夸除旧今时代，千古真传一脚蹬。

其三：摇摇摆摆飞天上，钉头鼠尾钩相连。问君何以如此写？各有看法迈前贤。

其四：叹我学书六十年，竟被先生走在前。书法之道真无边，大胆创造惊张颠（张旭）。

先工整光丽守法，而后破法造法。

最高境地：无法而万法生。

写字是为了给人看懂，要有规范，乱画无法度不行。

作僻体，高人冷齿，普通人不识，何苦？

艺贵参悟！

参是走进去，知其堂奥；悟是创造出来，有我的面目。

参是手段，悟是目的。

参的过程中有渐悟，积少成多，有了飞跃，便是顿悟。

悟之后仍要继续参，愈参愈悟，愈悟愈参，境界高出他人，是为妙悟。

参悟是相辅相成，互为促进的。

参是吃桑叶，悟是吐出好丝来。

不参而悟，如腹中无叶而难吐丝。

我想斗胆说一句：在学术上有点小的野心，敢与古人、外国人比一比。比如写草书，敢同王觉斯（王铎）、傅山比，这不能看作是坏事。没有这种气度怎么行？这样想动力大，能源足。

与古人比，要扎扎实实去学，去做。好高骛远，自命不凡，对古人持虚无主义的轻视态度，再有空头野心，势必受害！

与古人比，意图在于去同求异，得其精神，坦率地表露出精神面貌。但先要与古人合，后来才能离。

我的话，一切前辈的话可以参考，不能迷信。如果错了，明家指教，功德无量！

走在街上，看到同我写得相像甚至很像的字，使我痛苦。这些人太没有出息，仿林散之并不比仿二王大胆。初学仿帖是练功，仿不是创造。

先求貌似古人，后求神似，再参以己意，积之既久，自成一格，诗、书、画皆然。

师古方知古法，师法数十家，观千百家，尔后知无定法。

钉头鼠尾皆是大病，练笔就是把毛病去掉。名人名作细看，长处何在？就是无病。去病很难，病根已深，必须下苦功才行。

我从十七岁开始，每晨起身写一百字。四十岁后才不天天写。

六十岁前，我游骋于法度之中。六十岁后稍稍有数，就不拘于法。正是：我书意造本无法，秉受师承疏更狂。亦识有人应笑我，西歪东倒不成行。

我不是天才，就质素而言，像庄子说的：“材与不材之间。”因为肯学，弥补了才气的不足。

原来写字只为养心活腕，视为体育之一种，

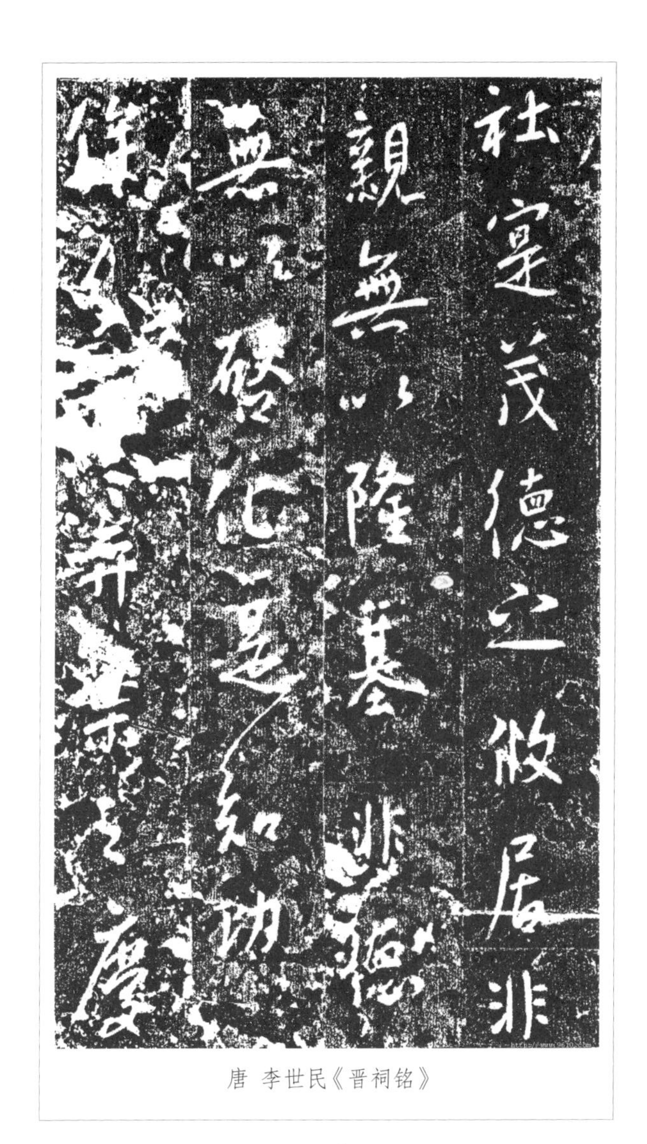

唐 李世民《晋祠铭》

可以寄托精神，绝不想当书家，当书家太难了！

我在六十岁前后写过唐太宗（李世民）《晋祠铭》，笔意近似北海（李邕），每日二张，八十几个字，每天不辍。

我不是天才，只是较为勤奋而已。

我有点小成就，是因为遇到两位好老师，路领得正：首先是含山张栗庵。……后来又问学于黄宾虹先生……

习书由生而熟，由熟而生，复由生到熟。普通人走到第二步已不易。

写字不能画字。

天才还需要学力，方有成就。

无人领路，天才也易入歧途。

——《林散之序跋文集》

三、论书

《华山碑》有人说是蔡邕所写，温润。

不能以圆笔写《张迁碑》。《张迁碑》为方笔。

颜（真卿）从六朝来，得力于《吊比干》。

颜书《争座位》帖，自然。系别人于字纸簏中获得，正见其本来面目，笔笔下滑，虽一撇一直端末，亦有力量。

王觉斯（王铎）草书转弯处如折钗股，其留空白处须注意。

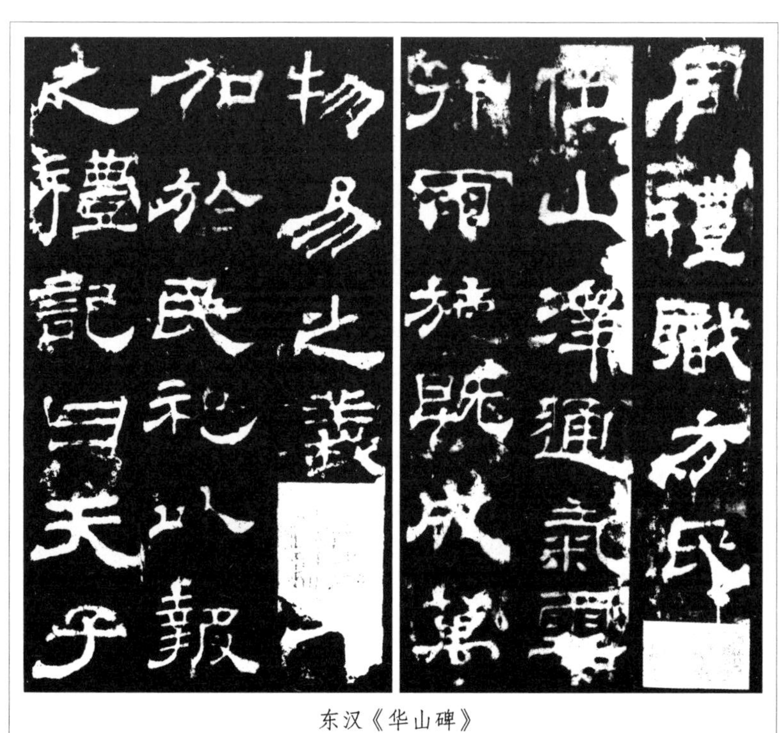

东汉《华山碑》

唐 颜真卿《争座位帖》

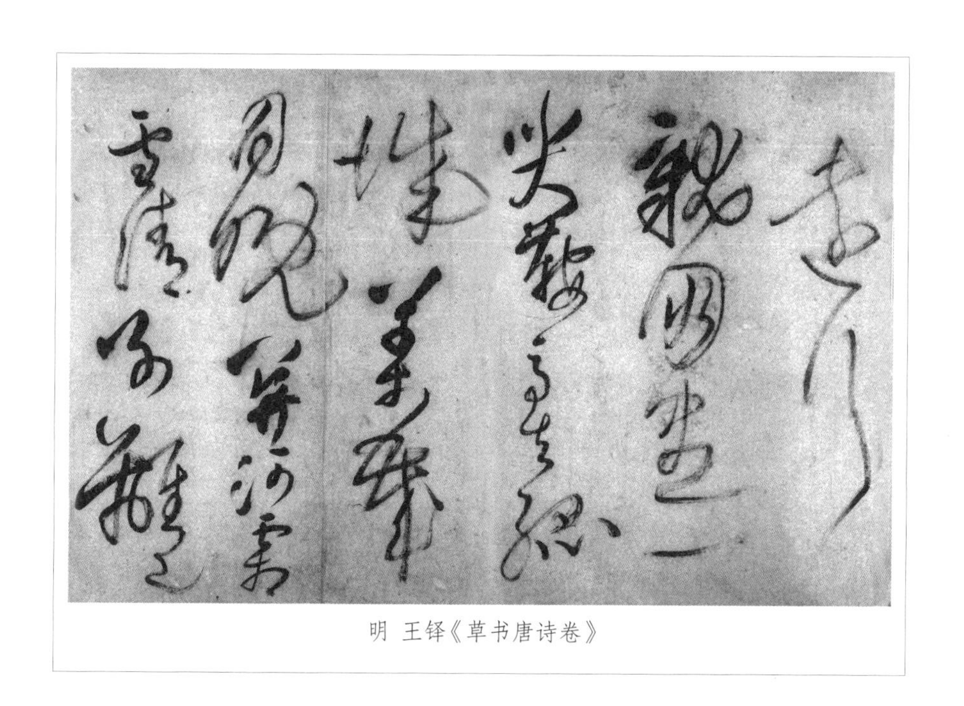

明 王铎《草书唐诗卷》

王觉斯草书圆中有方。

笔笔留。笔笔涩。何绍基字正如此。

草书，运笔直。草书畅志。观蛇斗，蛇走草丛。鲁公（颜真卿）观壁坼，坼纹有力，两边毛。

草字取势，势相连。作草如正。

——与单人耘谈

北宋 苏轼《醉翁亭记》　　北宋 苏轼《丰乐亭记》

怀素能于无墨中求笔，在枯墨中写出润来，筋骨血肉就在其中了。

王铎用干笔蘸重墨写，一笔写十一个字，别人这样就没有办法写了，所谓入木三分就是指此。

苏东坡《醉翁亭记》写得最丑；《丰乐亭记》写得好。《丰乐亭》是学颜的。

字到晚年，更精了。人要，我也要，我非写不可。自己看看，可以。日本人来画店，偏找我的字要。

［陈慎之说：“您的书法境界更高了。”］

这是债负的更多了。……无法偿还，没有了时。连不懂字的人，也要写，你看怎么搞法。

我八十岁时，精神一切尚正常。八十二岁后，渐渐衰下去了。近来全不行了。……两手写字如常，不战不抖。这到（倒是）王母赐我的佳惠。若是手战手抖，不能写字，那更糟了。……

——与陈慎之谈

隶书笔画，如横画要直下，中间不能让当，中间要下功夫。要留，压得往，要驻，要翻得上来。不看两头看中间。

隶书要讲气，气要鼓得足。一波三折，像刀切的。要用浓墨写，迎合有情，要有盼顾。书法离不了情味。

《礼器碑》无一笔不工整，不呆板，有奇情，方方正正，但不是算子书。悬腕中锋，像刀切的。瘦，难写。

《石门铭》是圆里带方，遁方于圆。

《郑文公碑》字的笔画像虫蛀一样，这就是力量，无意写成的，力量硬抵出来的，像虫蛀的，这是布白的功夫。

《魏故怀令李君墓志铭》，这个字雅，境界高，笔笔有味道，笔笔能停得住。用笔尖的力量，内美外美，气味醇厚。

字须筋骨血肉兼备，方称完美。古今人唯晋之二王（王羲之、王献之）能得其秘，

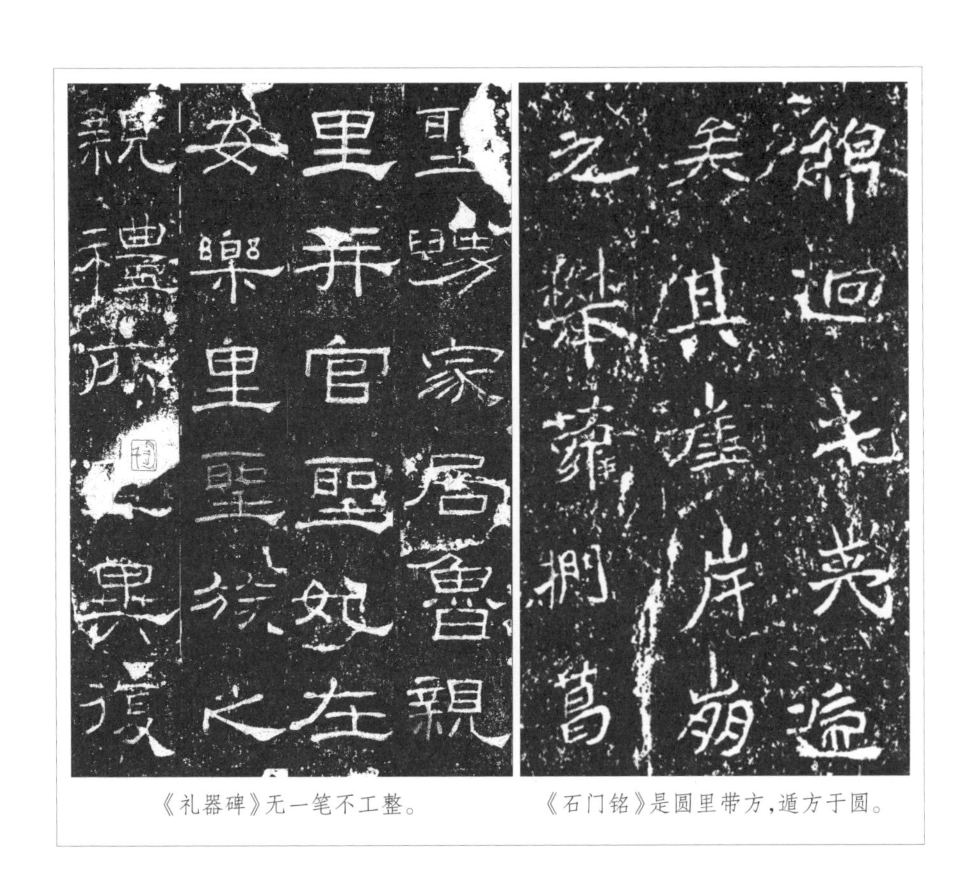

《礼器碑》无一笔不工整。　　《石门铭》是圆里带方，遁方于圆。

尤以大王（王羲之）为胜。又，字有外形之美，内形之美。外形之美即筋骨血肉；内形之美即气味风韵。晋人除二王之外，能入此中奥秘者甚多。唐人如颜（真卿）、欧（欧阳询）、虞（世南）、李北海（李邕）等，皆能继接晋人法乳。宋人如苏（轼）、米（芾），明人如王觉斯（王铎）、祝枝山（祝允明，号枝山）、董思白（董其昌，学者称“思白先生”）辈，亦堪比美。凡古今书家，能独步千秋，无不内外俱美。不然则徒具形似，不足贵也。

《郑文公碑》字的笔画像虫蛀一样……这是布白的功夫。

欲臻此境,非具数十年辛苦功夫,实难造及。所谓功夫即在用笔。古人对用笔,各有心得,而其成功则一。学者于所传碑帖和墨迹中,不难揣摩而得。

学大王者,唯孙氏能得真诠。

(孙过庭)《书谱》墨迹,有些地方似虫蛀,其实那是写出来的。

要无墨求笔,在枯笔中写出润来。筋骨血肉就在这中间找。练久了才有这个心

唐 孙过庭《书谱》　　明 董其昌《菩萨藏经后序》

得。怀素墨迹中可见,他没有墨也能写出来。

董(其昌)字秀得很。要学秀,拙从秀出,单拙就笨了。

脱离太早就不行,像郑板桥过早地要自己的面貌,就没写好。

大胆用笔,干笔蘸重墨写。王觉斯一笔写十几个字,别人这样就没得办法了。所谓入木三分就是指此。

包世臣把王觉斯列入“能品”,是不成立的。各有各的见识。

安吴包世臣一生学(孙)过庭,颇得用笔真理。

何绍基,人问他学书几十年有何心得,他说没什么心得,只是写得比人黑一点。他说的所谓“黑”,就是气厚,练出来。“黑”,就是他的甘苦。

吴让之是读书人,有书卷气。

黄宾虹在《郑文公碑》上下了很深的功夫。

所临魏墓志,工稳有余,嫌太拘谨,不能放笔,无自己面目。所谓(有)形质,欠精神耳。以后宜从放字用功,求自己面目,即臻上乘矣。

有几道关,钻古人的门。要靠苦心钻研才能到古人的这个关。钻进了古人门要出来也不容易,被那个圈子套住了,很难的。脱了他的门,东西还存在,就有自己的本来面貌了。慢慢地脱,发现自己的性灵。脱离太早就不行,像郑板桥过早地要自己的面貌,就没写好。要脱俗气,脱自己的壳。自己的匠气脱不掉,想脱离古人,就要多读书,养气,有些书要读。

书法与旧文学是分不开的。能钻进去就好了,不要只看翻译才懂。这是个很高的修养。所谓书卷气,就是书读多了,不是学成的,而是养成的。

谨防学成“书匠”。书法最难的脱不出俗气。邓石如这样的功夫,在书苑中也脱不了个俗。他读书少,在北京呆不住。功力深,但不是四体都好,他的隶书写得好,其他也不怎样。

书法要写得不俗就不简单，一般人写到形式美就不简单了。

书法跟人走，人俗字也俗。

“俗”，千百万人脱不掉。

不读书，越工越俗。不读书，再写总是个“书匠”。

——与冯仲华谈

想见见吉野俊子，又名……是个女士，写得太好，直逼晋人，我不如，惭愧。

［章炳文说：前次日本名古屋书法代表团的团长来拜会您，他们说您是中国的“书圣”。］

瞎吹。我不承认。站住三百年才算数。

百年定论。

古人说过：“盖棺定论。”杜工部（杜甫）说：“千秋万岁名，百年身后事。”

人老了，手脚都笨了，写字都不能写了，手腕迟钝了，一切不灵，真难堪。

——与章炳文谈

汉隶看其下笔处出锋的地方，境界高，章法美。

《张猛龙》方圆兼用，笔墨双收。要能有力，运转，用笔之道，才能收其效果，不然只能得其形貌耳。

《张》是魏碑中妙品，学者难学。

王大令（王献之）下笔千钧。

大令（王献之）用笔太快，利锋全出，不如右军（王羲之）浑厚。近购《十七帖》是清人藏本，亦佳本可学也。大凡习草字，专求快锋，转折太露角，不如古人浑脱，温柔之气盎然。所以右军为千古巨子，不能随便视之，宜细玩而深求之，其味自然见之也。

米、赵、王觉斯都学李北海；董其昌学米、赵、李；李北海学王大令。

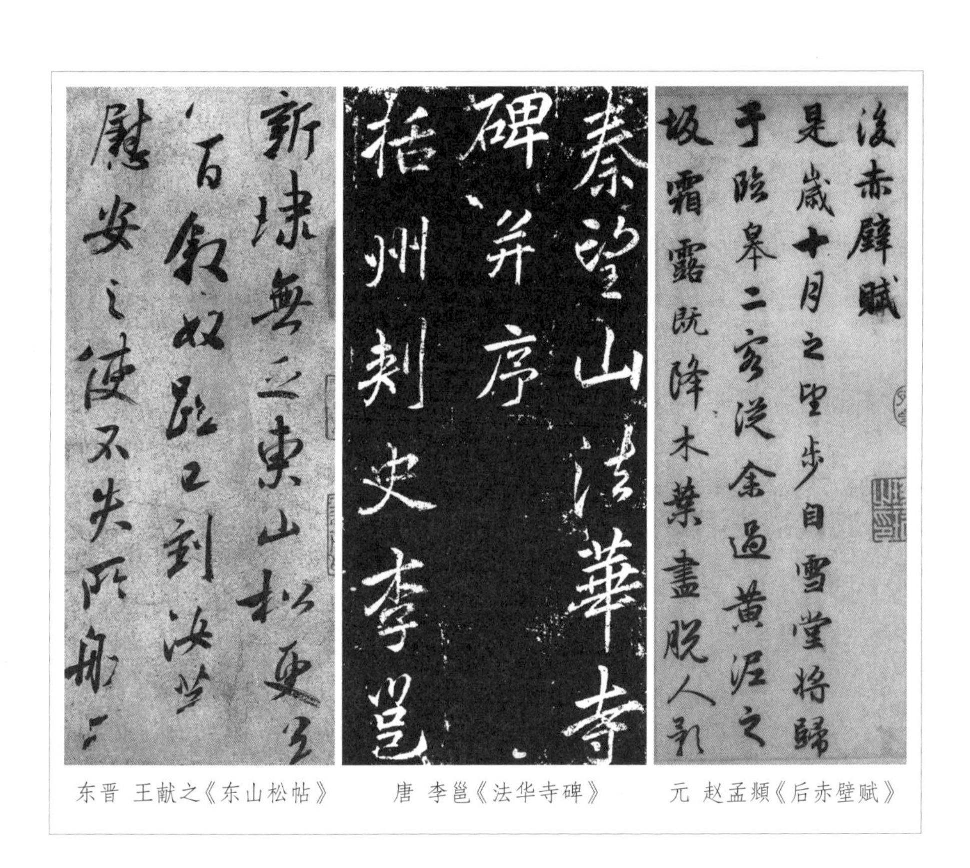

东晋 王献之《东山松帖》　唐 李邕《法华寺碑》　元 赵孟頫《后赤壁赋》

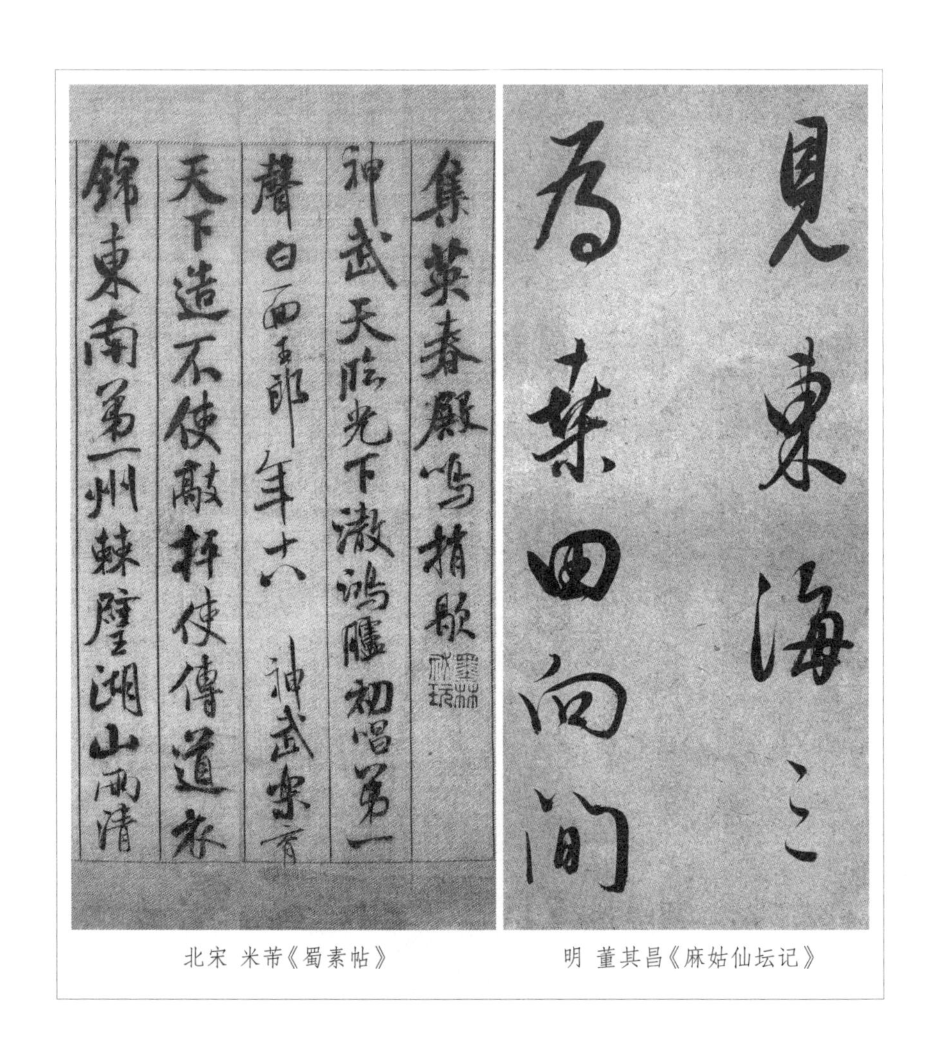

北宋 米芾《蜀素帖》

明 董其昌《麻姑仙坛记》

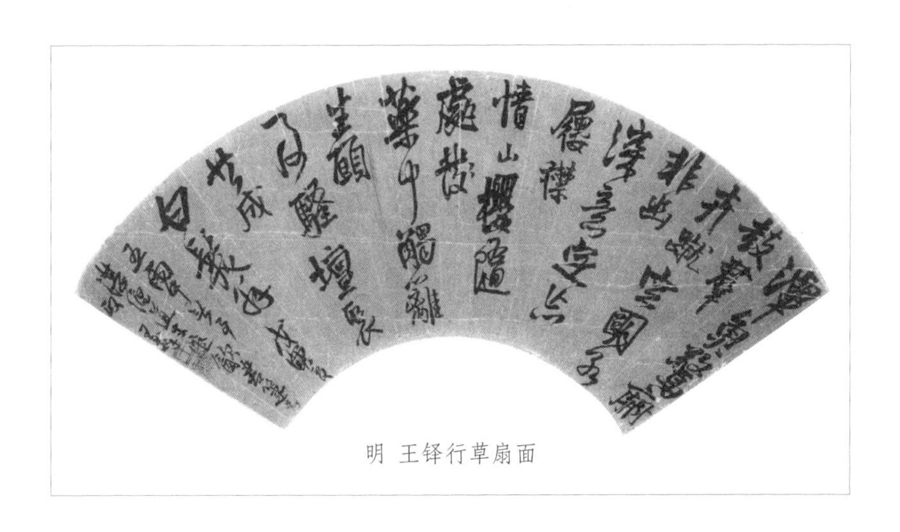

明 王铎行草扇面

李北海的字内藏。刚而不露，绵厚，不正为正，行气气足。难学。

李北海，唐大家，难学。右军如龙，北海如象。北海有其独到之处。

怀素在木板上练字，把板写穿了，可见苦练的程度。也因为这样，千百年不倒。他写了二十多篇《自叙帖》，现在只留下一篇在美国。

颜鲁公（颜真卿）笔力雄厚，力透纸背。

颜鲁公《争座位》，写的时候并不想留下来的，当时是草稿。但现在看，没有病笔，个个字站得住，是真功夫。

苏、黄、米、蔡都学颜，但各各不同，这就是跳出古人圈子，就是能创新。创新不是要创就创了，是要学问和功夫到了，自然就创新了。学问要求真学问，不要求形式，要能吸收消化。

北宋 苏轼《罗池庙碑》

北宋 蔡襄《告身帖跋》

北宋 米芾《闻张都大宣德帖》

北宋 黄庭坚《经伏波神祠》

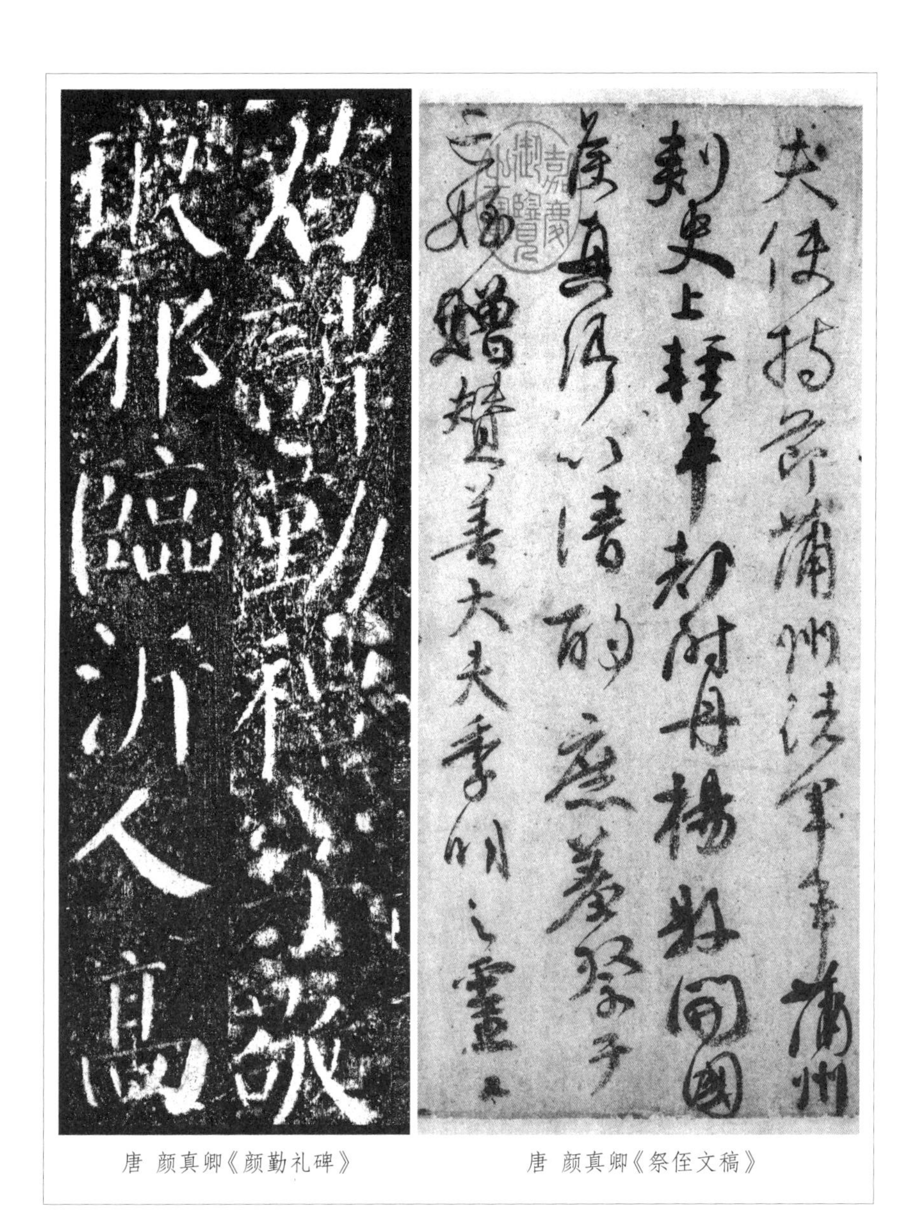

唐 颜真卿《颜勤礼碑》　　唐 颜真卿《祭侄文稿》

苏、米字沉重，在沉重中有奔放，能天马行空。

米字也是骏快。

赵（孟頫）字平整，圆润，妍，是元朝一大家，宋以后一人而已。人说他格调不高，是因为他降元。但他的字好，学好不容易。

赵（孟頫）字雅俗共赏，结构紧，出自北海（李邕），比北海平正易学。用笔要切入，如刀砍一样，要有锋，要转（锋）。捺写得好，要一波三折。……赵字的毛病就是太快。

赵字写起来要快一些，要留得住。赵字的毛病就是太快。……

赵子昂（赵孟頫，字子昂）小楷收得拢，放得开，有气味，有轻重。

王觉斯东倒西歪，但你学不像。他有气势，上下勾连。

邓石如的对子，力量厚，精密，善于用墨，敢于用墨，耐看，现在人写不出来，用墨酣稳，看它飞白处，极妙，上下联的字大小互让。

清 邓石如隶书七言联

周琪会五十多种体，都是依葫芦画瓢，有什么稀奇？但他自己的体，却没有。

吉野俊子，写得太好，雍容儒雅，大雅可爱。中国现代名家一个写不出她的气味。她从晋唐人出来。只有我偶然好的，差可相比。

我的主要精力在写楷书上，草书没怎么学。学草写草是写不出来的，留不住。用楷书笔法写草书才行。

诸文艺均须用法度，细心临摹，大胆前去，慢慢地，一步一趋前进。

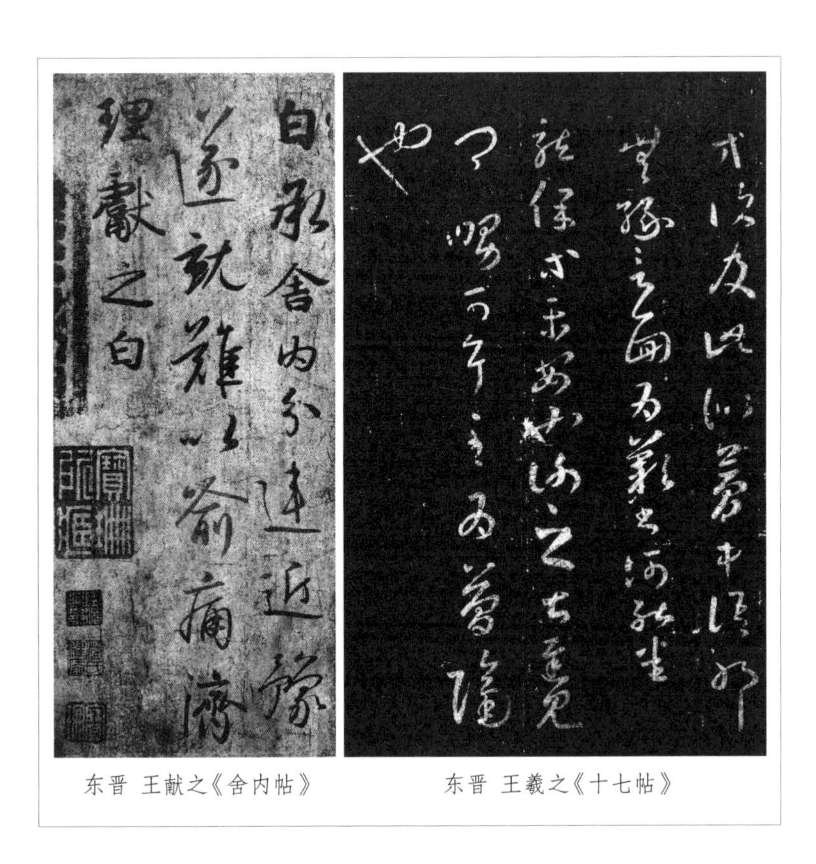

东晋　王献之《舍内帖》　　东晋　王羲之《十七帖》

字不必作僻体，俗人不识，高人不值一笑。

写字先求工整光丽，守法。

参悟。参是进去；悟是创造，出来。

李北海云：学我者死，逆我者生。

写字不能只有个样子，要有功力。

要下决心，有野心，敢与古人比比。要有雄心大志，要有百折不挠的勇气。（对秋泉语）

浮名乃虚花浪蕊，毫无用处。必回头，苦干廿年，痛下功夫。人不知鬼不晓，如呆子一样，把汉人主要碑刻一一摹下。不求人知，只求自己有点领会就行了。要在五更后起身写字，悬腕一百个分书写下来，两膊酸麻不止，内人在床上不知。……

俗字讲不出来，只有你自己理会才行。古人说不俗、仙骨，真是难如登天，可叹。

光学写字，不读书，字写得再好，不过字匠而已，写出来的字缺少书卷气。

写快了会滑，要滞涩些好。滞涩不能像清道人那样抖，可谓之俗。……字宜刚而柔，乃称名手。最怕俗。

写字就是要医病，病没有了，就有健康美。我十年前的字不能看，浑身是病。

——与庄希祖谈

［观傅山书杜甫诗六尺绫本大条幅］

“坦腹江亭暖，长吟野望时……”杜子美的诗做得好；傅山的字气质好。凡属大家，都有过人处。

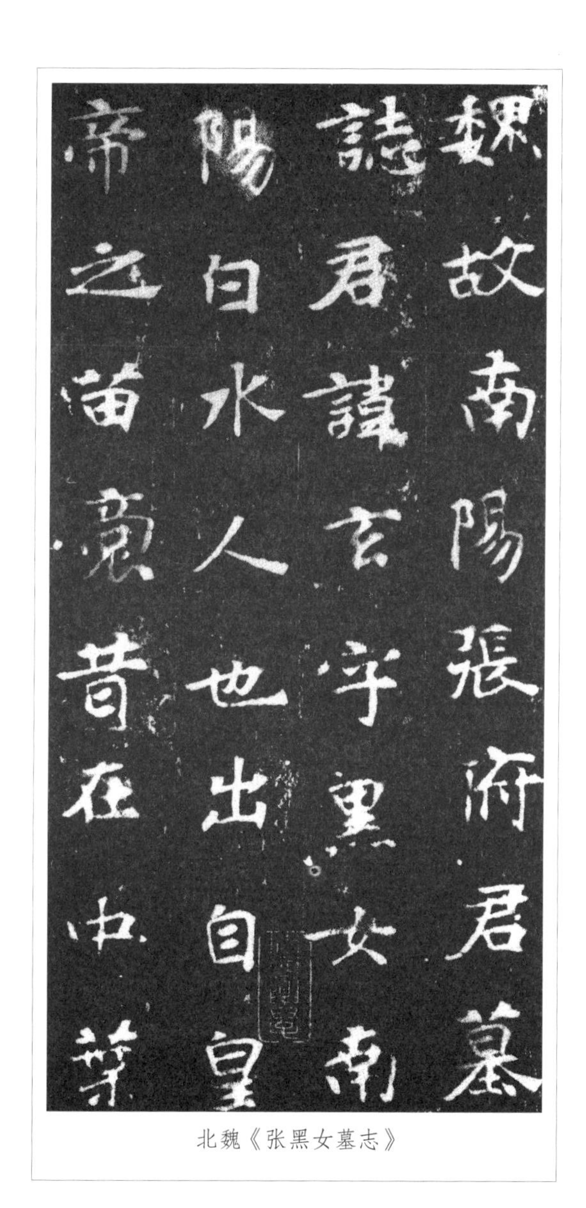

北魏《张黑女墓志》

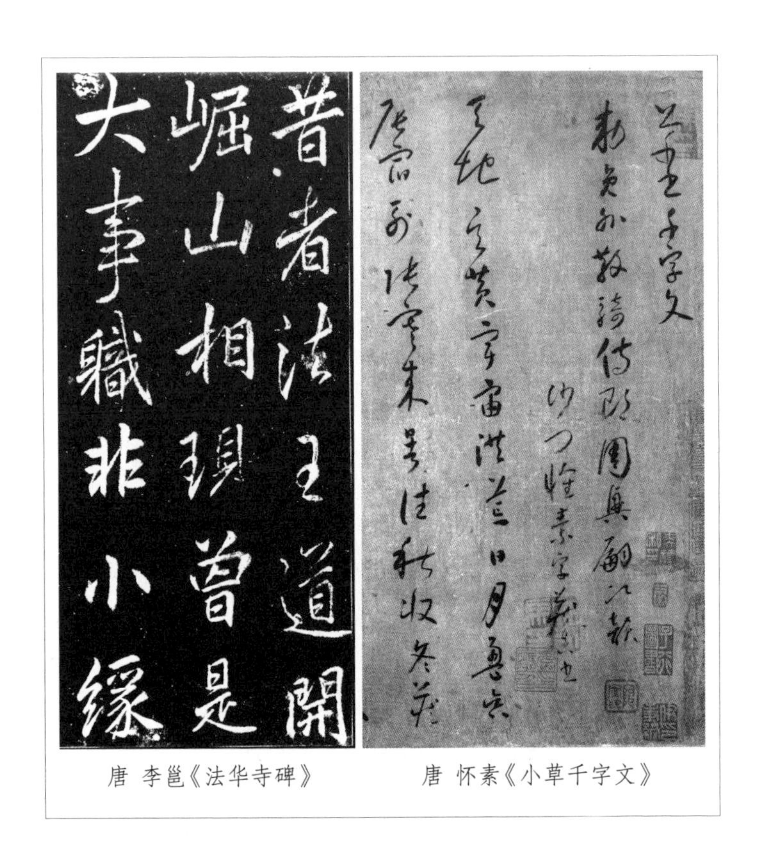

唐 李邕《法华寺碑》　　唐 怀素《小草千字文》

［观王铎论王羲之六尺绫本草书大条幅］

王觉斯写得好。你看开头第一个“鹅”字，写得就与众不同，不愧是大家手笔。

——与徐纯原等谈

《张黑女》要写得古朴，要有拙味。

《争座位》外圆内方，如锥画沙，气圆，气撑得开。

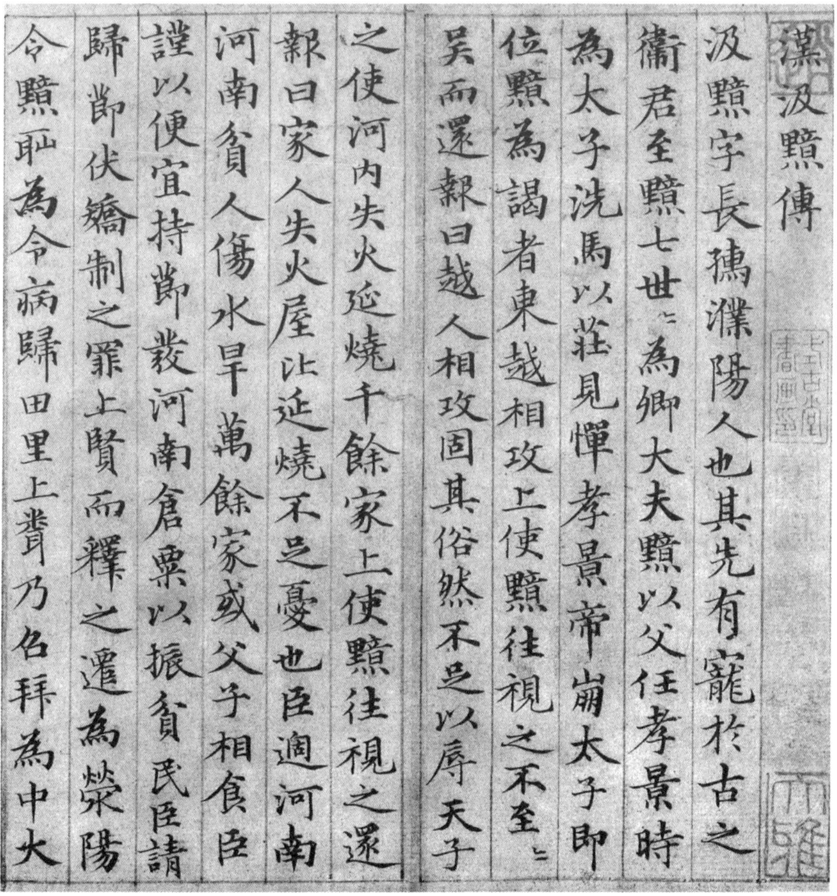

漢汲黯傳

汲黯字長孺濮陽人也其先有寵於古之衛君至黯七世世為卿大夫黯以父任孝景時為太子洗馬以莊見憚孝景帝崩太子即位黯為謁者東越相攻上使黯往視之不至至吳而還報曰越人相攻固其俗然不足以辱天子之使河内失火延燒千餘家上使黯往視之還報曰家人失火屋比延燒不足憂也臣過河南河南貧人傷水旱萬餘家或父子相食臣謹以便宜持節發河南倉粟以振貧民臣請歸節伏矯制之罪上賢而釋之遷為滎陽令黯恥為令病歸田里上聞乃名拜為中大

元 赵孟頫《汉汲黯传》

颜真卿《争座位》是个稿子，没想到能传下来，他的字没有毛病，见性情，有功夫。

李北海学大王，人称右军如龙，北海如象。

苏、米的字沉重，由沉重再奔放。

赵（孟頫）小楷放得开，收得紧。

董其昌书不正为正。气足。难学。从米、王觉斯追上去，用墨要能深透，用力深厚，拙从工整出。

王觉斯、赵子昂、米南宫，叛我者生，学我者死，个成面目。

书法很玄妙，不懂古人笔墨，难以成名。

古人骂人说书奴，是写字跳不出古人的面目。现代人连书奴都不如，只学皮毛。宋四家学古能化，他们都学颜，手艺各个不同。现要写字的不少是胡吹，写不出个东西。

美术、书法创新，这是不断的，那一代没有创新？唐宋大家都是从古人学出来独开生面。创新早就有了，历代都是这样，凡成功的都是创新，不受古人的规矩。学问、功夫到了一定的程度自然会创新。艺术要有科学态度，不能像“文化革命”中乱闯。

要胆大，放得开，不要求像，要力透纸背。

写字要有功夫，要写字，要读书，要有书卷气，否则是匠气。

字有百病，唯俗病难医，多读书方能医俗。

字要写得绵厚，刚而不露、内藏。

要和有学问的人多接触，能得到许多知识，有帮助。

——与桑作楷谈

无论书法作画，总宜多读点书，才有气味。不然，徒事弄笔弄墨，终归有俗气。这个俗气实在难除。书最难读，非一朝一夕之功，游历还属于第二阶段。书读不好，游历也是枉然。古人说入宝山空回，一无所得。山川的气象不能尽心写下来。

全中国莫有深通书画的人，也就是莫有能读破万卷之人，所以下笔粗俗难堪。如民国年间还有些读书的人，都流寓香港了。

这个关不得过。什么关？就是俗字这个关。要读书，苦读万卷才能不俗。

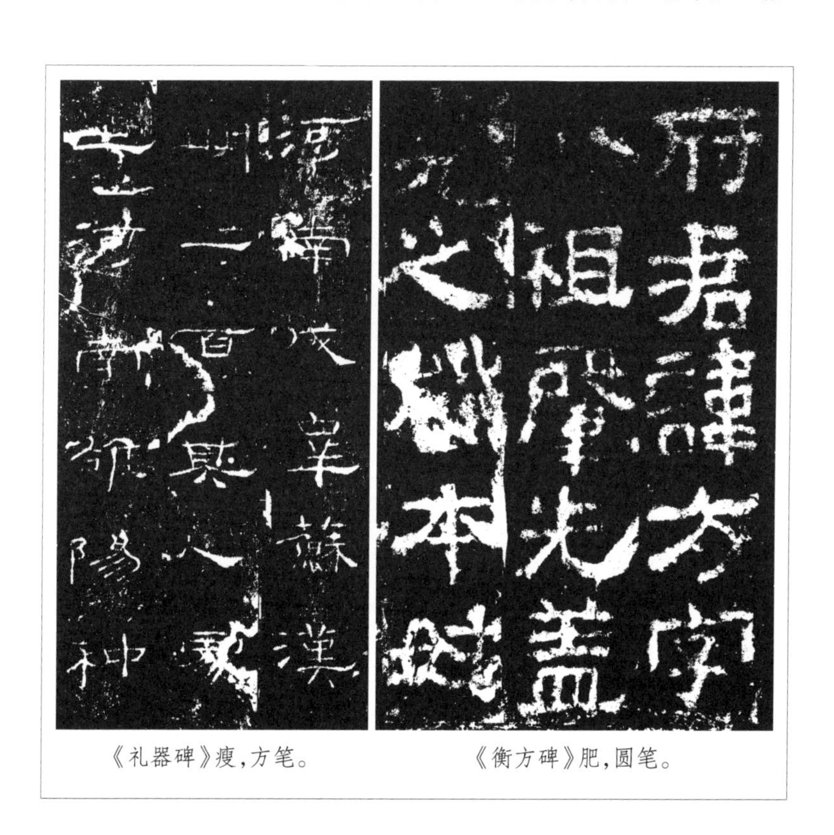

《礼器碑》瘦，方笔。　《衡方碑》肥，圆笔。

东汉《华山碑》

变换气质才能不俗。

——与张尔宾谈

艺术上的成就高低不能用时名来衡量，三百年后才能定论。

范（培开）先生……学唐碑之后就攻草书。当时就有识者评他太狂，太怪了。一步之差，终身不返，可惜！可惜！

——《林散之》

《礼器碑》瘦，方笔。原碑现存山东曲阜孔庙，鲁相韩敕造，无额，背列官吏名字，内容多谶纬，不可尽通。

《衡方碑》肥，圆笔。

有人说《华山碑》是蔡邕书，圆润含蓄。

篆书写来很慢，人又不认得，楷书、行书最实用，写来又快。

孙过庭学王羲之笔法，善布白，《书谱》上有虫蛀文，要认真细看。

北海（李邕）取斜势，因为气抱得住，所以字字站得稳。

李邕《端州石室记》笔画圆劲，字体结体稍扁，显得敦厚，
不似《云麾将军碑》、《麓山寺碑》以瘦硬长斜取势。

东汉《孔宙碑》　东汉《曹全碑》　唐 颜真卿《多宝塔》

我在一九六六年重写李北海《端州石室记》，有些发现，尤其是布白之美，“李”字下一横分成两段，像广告美术字，甚奇。此碑笔画圆劲，字体结体稍扁，显得敦厚，不似《云麾将军碑》、《麓山寺碑》以瘦硬长斜取势。

颜（真卿）书自六朝来，得力于《吊比干文》，要上溯求源。颜也是方笔，有人把笔揉得滚圆是舍本求末。我曾经写《孔宙碑》—《曹全碑》—颜字，颇有心得。

颜（真卿）字以《茅山碑》为最好，要写得中正肃穆后再求变化。小楷要写《黄庭

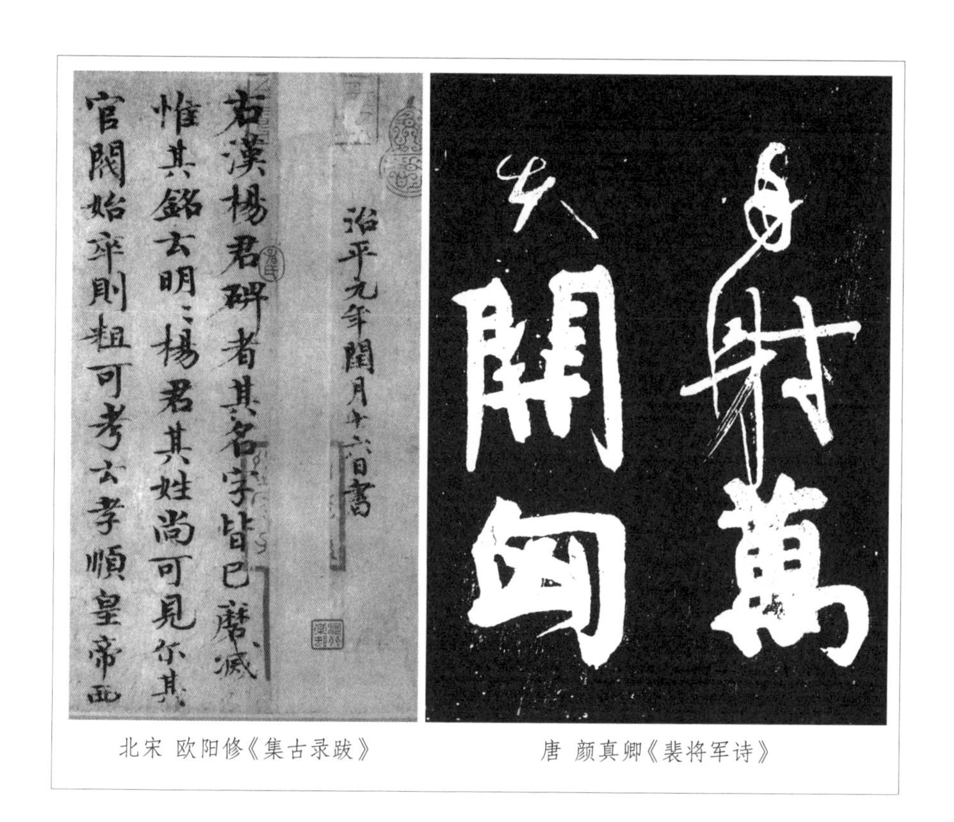

北宋 欧阳修《集古录跋》

唐 颜真卿《裴将军诗》

经》。先楷而后行草。

（颜真卿）《争座位》极为自然，系别人在字纸篓中获得，本性流露，一笔不滑，每撇每横头尾都极有力。《祭侄文稿》亦是至情挥洒，无拘无束，出神入化。《裴将军诗》以隶为行草，散藻漓华，气息高远浑穆。

怀素《自叙卷》由楷书过来，于无墨处求墨，各字上下关系天衣无缝，最细笔画也有无穷力量，千古以来无第二人。

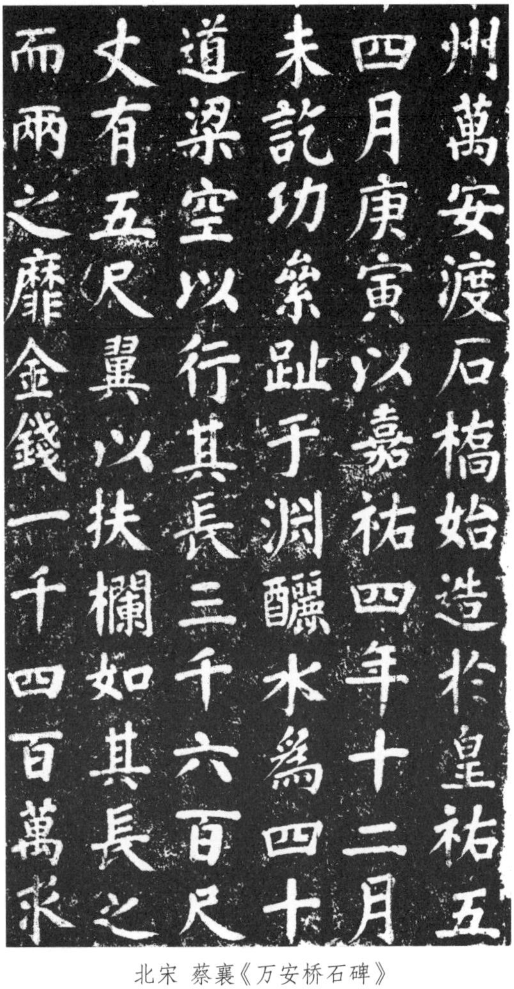

州萬安渡石橋始造於皇祐五
四月庚寅以嘉祐四年十二月
未訖功纍趾于淵釃水爲四十
道梁空以行其長三千六百尺
丈有五尺翼以扶欄如其長之
而兩之靡金錢一千四百萬求

北宋 蔡襄《万安桥石碑》

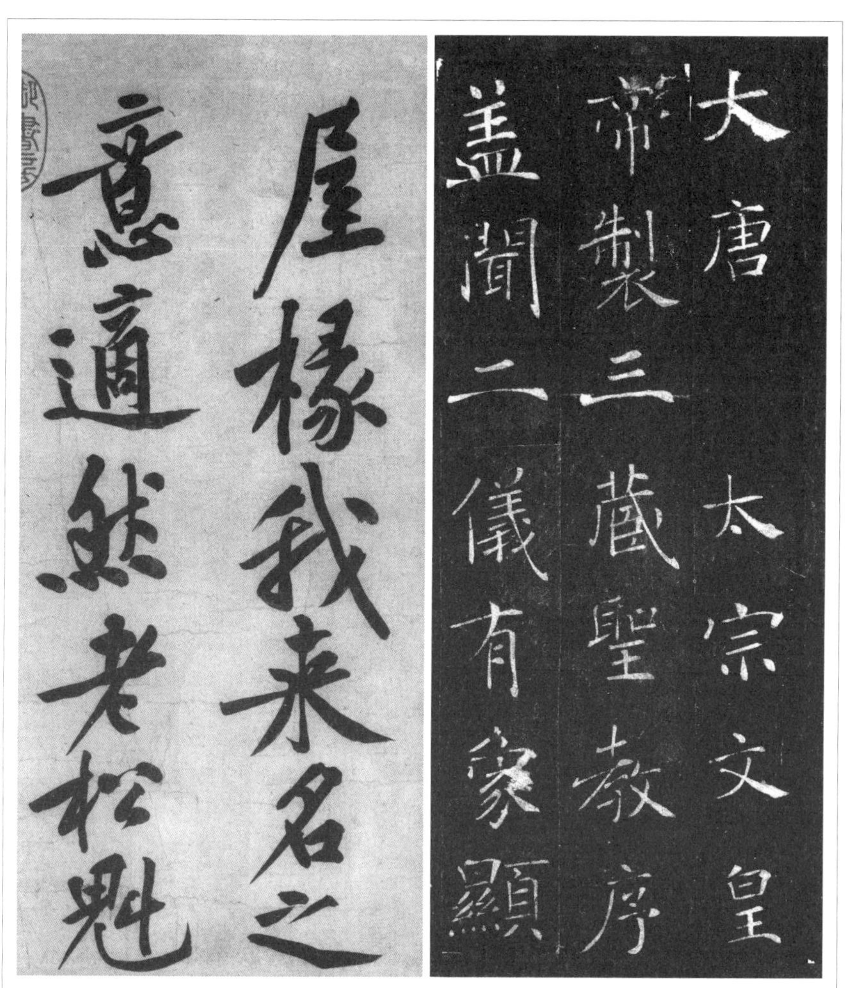

北宋 黄庭坚《松风阁诗卷帖》　　唐 褚遂良《雁塔圣教序》

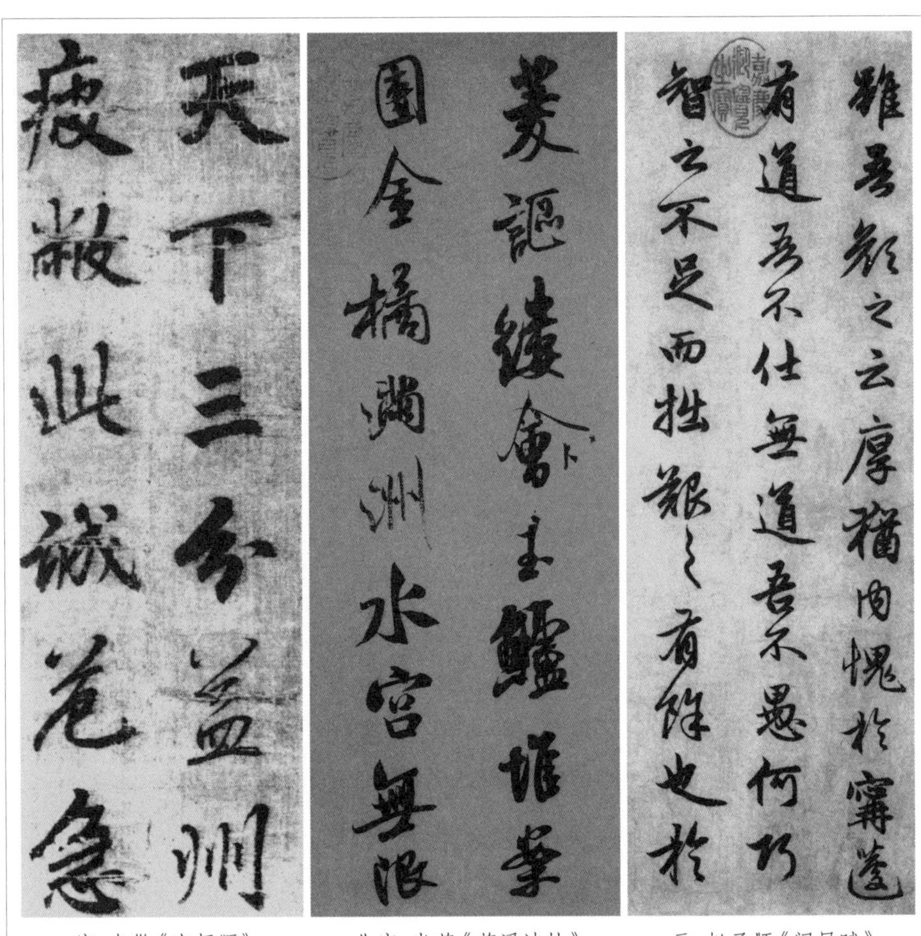

唐 李邕《出师颂》　　北宋 米芾《苕溪诗帖》　　元 赵孟頫《闲居赋》

李北海、米南宫、赵孟頫三人一路作书，道理相同。

宋代苏、黄、米、蔡（襄）四大家，唯君谟（蔡襄，字君谟）能写摩崖大字，可以看出对魏晋六朝隶书下过功夫。

东坡学颜，妙在能出，能变……

山谷（黄庭坚，号山谷道人）早年书近二王，中岁之后渐变为自己风格，中宫紧抱，长撇捺向四周扩张，形成幅（辐）射般的力度。佛印和尚还说他的字俗，因为一心求好，处处取势，锋棱外露，在纵横中失去了天真烂漫之趣。黄是几百年中不可多见的大家，尚且如此，可见写字之难。

黄（庭坚）学褚遂良《雁塔诗》，出来了。

李北海、米南宫、赵孟頫三人一路作书，道理相同。

赵子昂体出钟太傅（钟繇，官至太傅），能日书万字，千古一人。

写赵（孟頫）也要会用方笔，一波三折。

赵字活，习之可以破僵板，但要有碑学底子，否则流于甜媚。

明末草书人才荟萃。徐天池（徐渭，号天池山人）、祝枝山（祝允明）、倪元璐、黄道周、傅山、王觉斯各有千秋。

傅山仙风道骨，字有仙气，逸而能沉厚，是爱国血性男儿，又有逸人高致。首先他是大诗人，胸有块垒，字自然好。不服气不行！

王觉斯（王铎）也习过李（北海）书，但有晋之气息，所以成功。

王觉斯一代大家，才气横溢，其草书转弯处如折钗股，留白尤妙不可言。运笔圆中有方，顿挫处见丝，就是飞白。……圆而无方，必滑。

祝枝山是才高，在功力上我可以与之颉颃。对王觉斯低头！

觉斯（王铎）书法出于大王（王羲之）而问津北海（李邕），非思翁（董其昌）、枝山（祝允明）辈所能抗手。

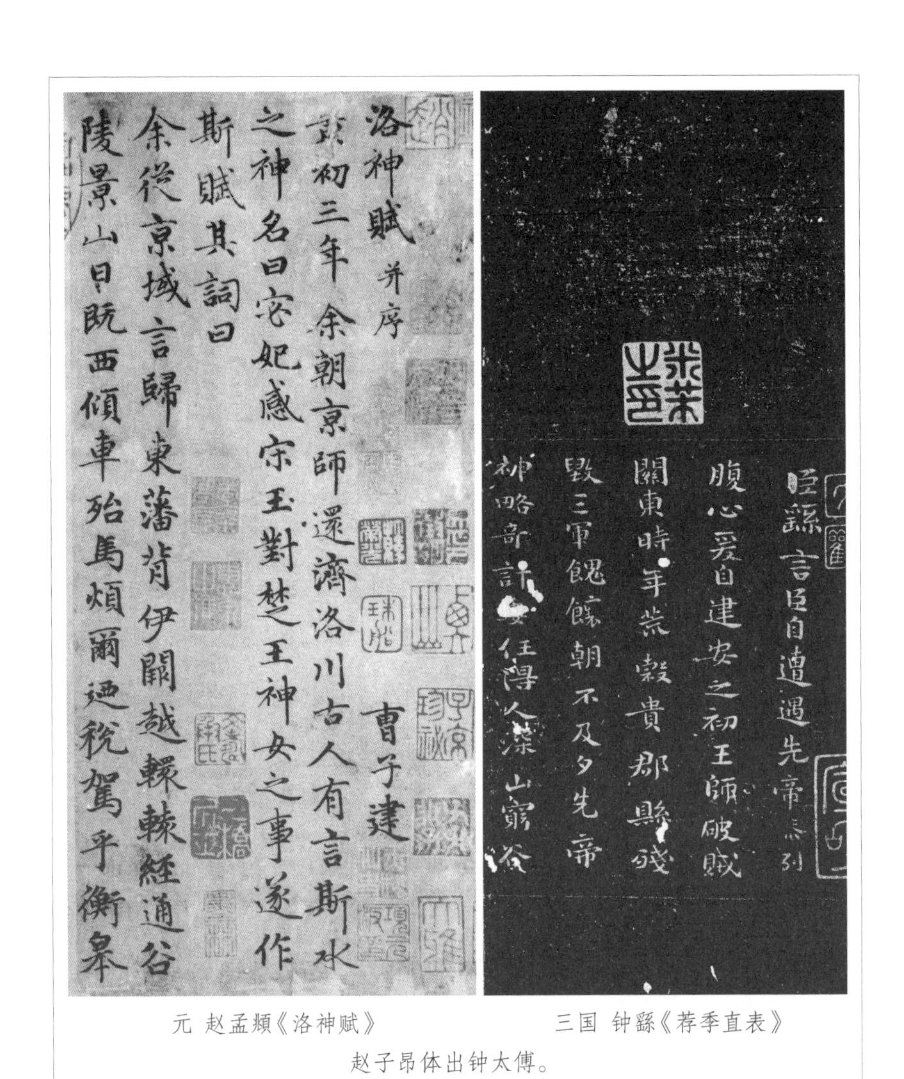

元 赵孟頫《洛神赋》　　三国 钟繇《荐季直表》

赵子昂体出钟太傅。

宾虹师以淡墨写王铎体，蘸点水题画，风神潇洒，意气轩昂。

郑板桥太怪，不佳。文辉以为此公在俗中最雅，雅中最俗，所以能共赏。识其雅易，知其俗难，需本身脱俗也。

邓石如善写《乙瑛碑》，功夫很深。此碑较《礼器碑》易学。不必同时学赵孟頫，可写《好大王碑》、李北海《麓山寺碑》等。

邓石如了不起，隶书朴茂，第一；篆书太熟，第二；行书第三；真书第四。

陈洪绶溶篆于隶，有一字一尺见方者，写得有气魄，耐看！

何绍基善变，字出于颜，有北碑根基，正善于留，所以耐看。

周琪先生自称工四体，隶未入门，肥俗如墨猪。

高二适先生……书读得多，天赋好，又勤奋，所以很渊博。他虽然很狂，看不起人，但是有学问。书不如诗，实多虚太少，太挤，有迫塞之感，笔力很矫健。

担夫让道，是虚。

北师大教授启功（元白）先生底子是欧字，他写得有书卷气，是学者字。曾见他写一联，集毛主席句："喜看稻菽千层浪，跃上葱茏四百旋。"字极难摆，他以粗细的笔画使之匀称，不容易。

欧阳公（欧阳修）大才，诗、文、书、画皆通，后遵友人劝告，专攻诗、文，以文为主，后成为八大家之一。

涉猎过广，一行不精，也难有成就。王夫之说："才成于专而毁于杂。"

高二适先生说："光写字不读书是书匠。"其实连字匠也够不上！

凡病可医，唯俗病难医。医治有道，读万卷书，行万里路。读书多则积理富，气质换；游历广，则眼界明，胸襟广，俗病可除也。

仅仅把读书当作提高艺术水平的捷径是不够的。读书为了改变自己的气质，提高

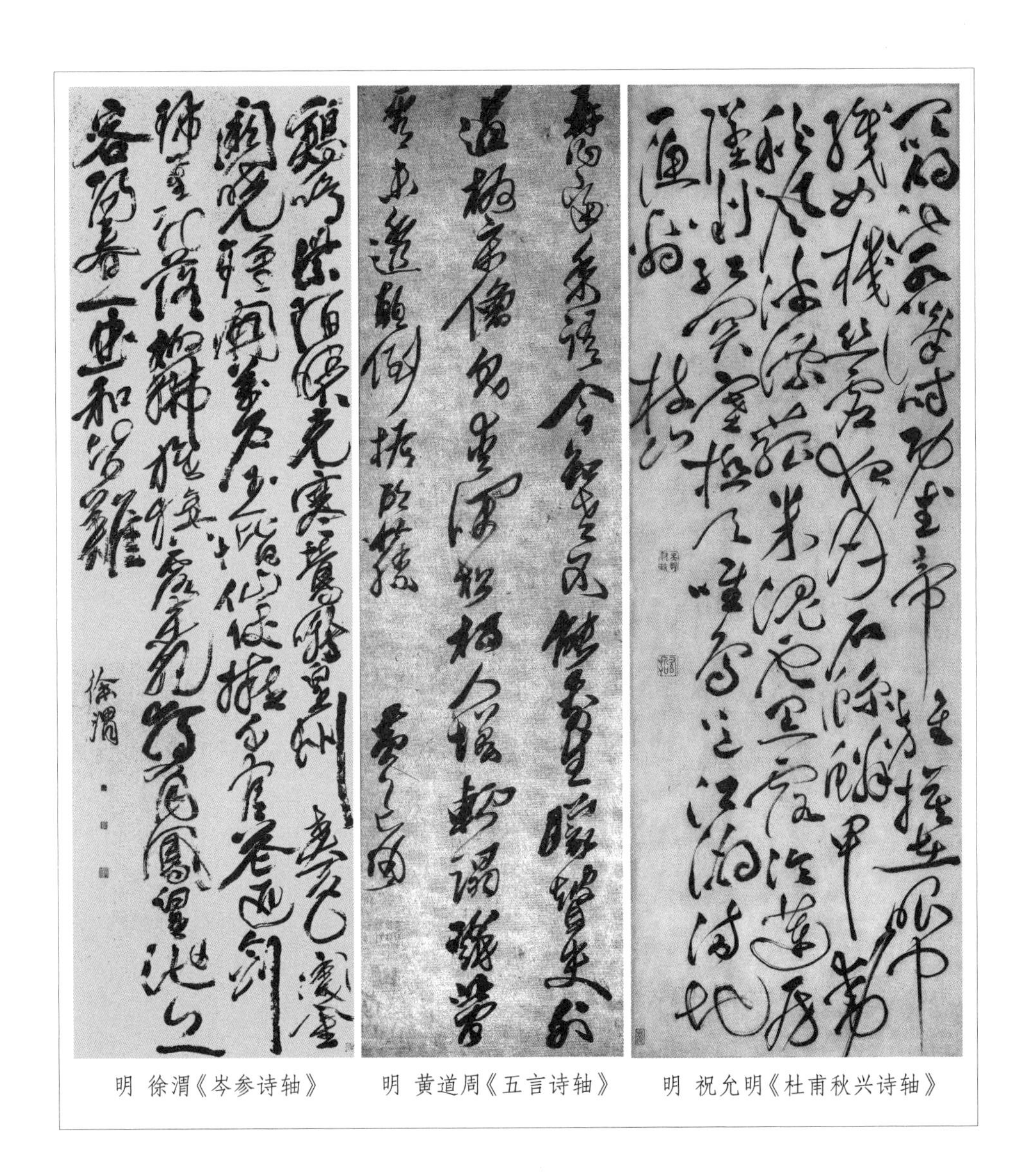

明 徐渭《岑参诗轴》 明 黄道周《五言诗轴》 明 祝允明《杜甫秋兴诗轴》

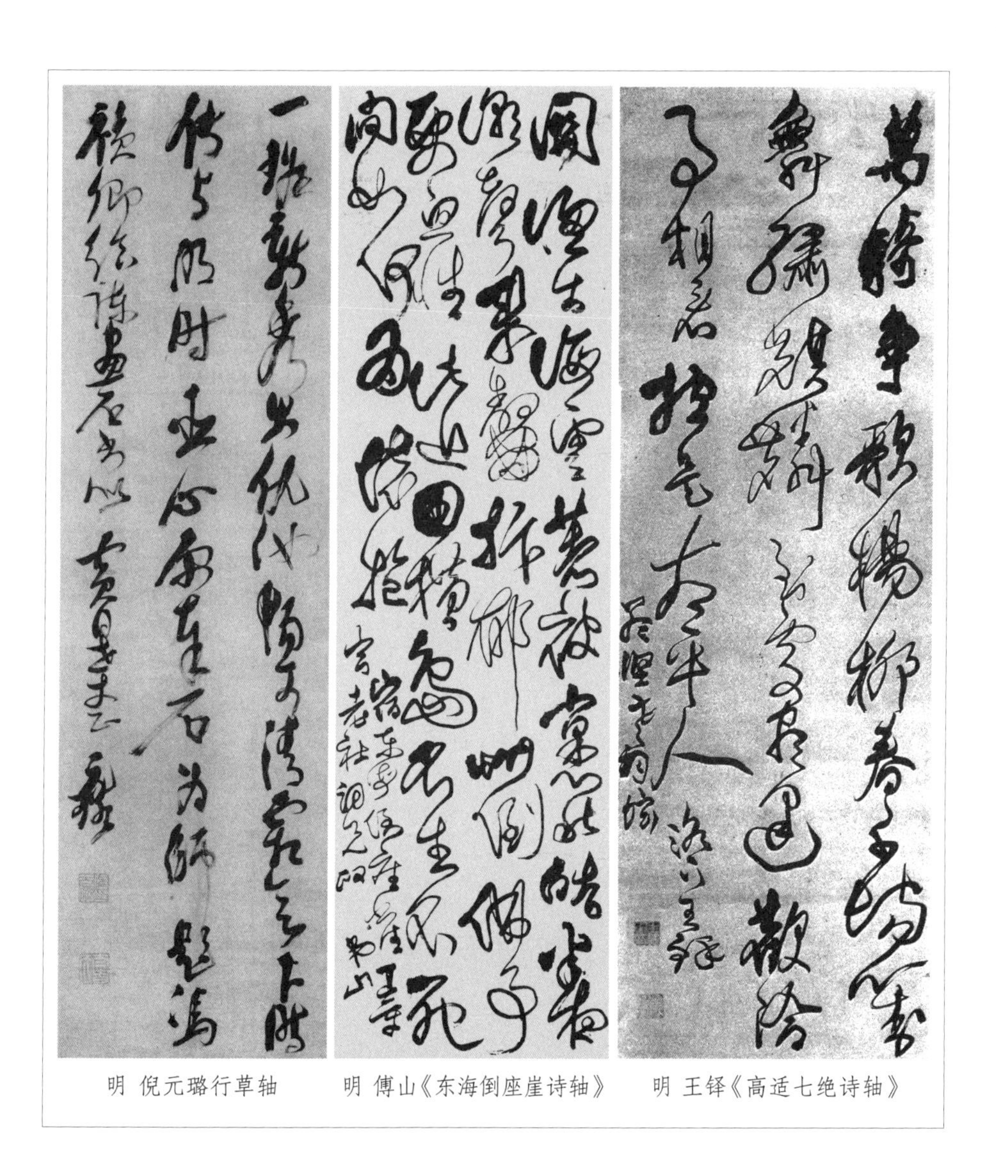

明 倪元璐行草轴　明 傅山《东海倒座崖诗轴》　明 王铎《高适七绝诗轴》

精神境界。艺术创作除了读书及前人作品外，还要社会与大自然这两卷活书，它的篇幅无限，每天都在延长、拓深。

书，是前人彼时彼地感受的结晶，不尽与此时此地的我相同，可以参记，不能照搬。照搬，不是创造。

草书要有内在美。

字写得太死是有实无虚之过。

把气捺入纸中，生命溶入笔墨之中，体现生命的跃动，则不会甜俗。

我写李北海，希望找到李书所自出。

我在六十岁前后写过唐太宗《晋祠铭》，笔意近似北海……

我到六十岁后才学草书，有许多甘苦体会。没有写碑的底子，不会有成就。

一九六四年十一月始写《孔宙碑》，过去未写过。陈曼生写此碑，终身受用。《礼器碑》瘦，方笔。……一九六五年，我苦练一年。

我在一九六六年重写李北海《端州石室记》，有些发现，尤其是布白之美……

那段日子也穿插着练颜字，悟出鲁公肥厚处疏朗之妙，从前光写，火候眼力不行，看不出来。

平生得意之作不过那几幅。写完之后不觉成诗一首：天际乌云忽助我，一团墨气眼前来。得了天机入了手，纵横涂抹似婴孩。

写字抒写性情，求者过多，作者成书奴，作品全是敷衍，何来灵气？

[柯文辉说："林先生草书五绝或七绝，二十几个字，在得意时，运笔方法全不重复。傅山、王觉斯以后，他是草书大家。"]

这样说不对，我受之有愧。承认此说，便是狂人。

做人是学不完的。我到九十多岁，依然是个白发小蒙童，天天在学，越学越感受到自己无知。身外名利，天外浮名，时间用于治学尚嫌不足，哪有功夫管浮名微利？不超脱也得超脱。

我在年轻时代总是天未明即起，点灯读《史记》、《汉书》。市声少，头脑清醒，无人干扰，易于背诵，至今仍记得其中名篇。

趣味随着年龄而变化：少年爱工丽圆转的字。青年爱剑拔弩张的字。中年爱富于内涵的字。老年爱平淡天真的字。

才、学、识三者兼备方可做艺术家；天资、学问、见识三者缺一不可。

——《林散之序跋文集》

回来后南京双门楼宾馆要整修接待外宾，要创作组书画诸人去书画创作，我是少不掉的。苏州几位也来了，××忙的真火热。他的字你是见过的，真叫人发呕，完全是江湖气，他的神通广大竟能把世人眼瞒住了。我真佩服他，“竟能瞒住人人眼，世上于今瞎子多”（这是我论书绝句六首中两句。）把我的字与他同列，我真惭愧，不敢高攀。世上无真理，臭猪头自有臭鼻子来闻，你说不好，他说好；你爱吃香的，他爱吃臭的。香臭岂有真味哉？是在嗜之者如何耳！

——致邵子退书

四、其他

关于栗庵先生事，一时写不了。他的书法高得很，胎息晋唐。他常对我说，读书要做一个真读书人，不能用假学问骗人。世上读书人，大多是骗子，骗功名。所谓真读书人天下少。又谓做学问要三四十岁定下来，有了方向才好做下去。若在这时做错了，虚名已成，年龄已壮，别人就不好进言了。把古人和其他一切人看得很微，这就误了一生，不能脱出此境。我学画，就是这个过程，就是张先生把我介绍给黄宾虹，得到了名师，才转入正途，不然糊里糊涂，自以为是，误了一生，至死不觉悟，真可叹也。

——与张汝舟笔谈

我是把全身的气，运向笔端，捺入纸内。

——与李秋水语

旧纸。纸不独质量好，又要陈纸，几十年。

——与陈慎之谈

一生苦心于诗，书有日课，画无常课。我于诗费的精力占七成，字二成，画一成。

诗，我与黄先生（黄宾虹）路子不同，我是学杜（甫）的，黄先生诗学六朝。画，我画不过黄先生，行书，我写不过黄先生，草书黄先生不写。

——与唐大笠谈

写字要长锋，长锋吸墨多，不能甩。

歙石有芙蓉坑、梅花坑等。宋坑完了，后来都是新坑。大抵宋以前砚石易得，砚多讲究实用，造型朴实。明、清以后好石不易得，大的不多，故多雕琢，不适用。刻得好的

端砚

少，多是俗手，只有吴门顾二娘刻得好，相传她替人刻砚，一方石有时要看一两年才下刀。黄宾虹有方“九蝠砚”就是出自顾二娘之手，是端石，就石上九个眼，刻九只蝙蝠，刻工好。

——与冯仲华谈

余于词不常作，诗则用力甚多，数十年孜孜不倦，比学书学画用功深。余故友雕先生常谓散之画不如字，字不如诗，人少知者。其实三者，余皆不行，比之今人似可不愧，比之古人，则瞠乎后矣。此非深于是道者，不能知耳。

——与冯仲华信

厚纸用墨要带水；薄纸、皮纸要用焦墨写。

紫毫写不出刚字来，羊毫才写得出来。

——与庄希祖谈

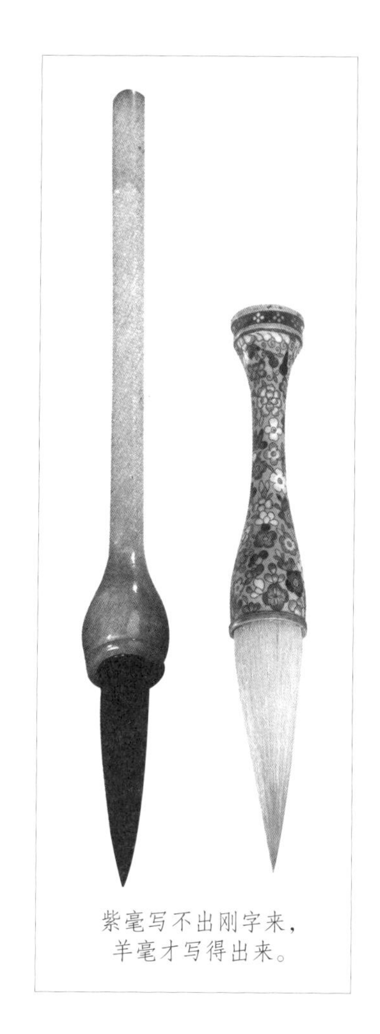
紫毫写不出刚字来，羊毫才写得出来。

笔是筋骨，墨是血肉，不知笔墨即不能作画，古人千言万语不离笔墨二字，能领悟用笔用墨之道，则画思过半矣。

近人只知涂抹，不知笔墨，所以画道不明矣。黄宾老一生勾勒六七十年，一勾再勾终成大家。

宾老（黄宾虹）极善积墨、宿墨法。他的画深厚华滋，淋漓尽致。宾师读书万卷，行路数万里，书法印石极其精妙，深通画史画论，由于他学识渊博又精研，至九二高龄，艺术大成。因此勤奋、天才，不随人脚跟转，始终如一地耕耘不止，终成一代宗师。

做时人易，做古人难，不要为眼前利益所迷惑。要画好画，作名家，不是一朝一夕之事就能成的。非要几十年功夫，兢兢于此，耐得住寂寞，吃得了大苦的精神不可。

执笔如推手，要不顶不丢，如粘如生。运笔当须缠丝劲，螺旋而行，绵绵不断。一招一式当含阴阳，藏虚实。要静若山岳不可摇，动若江河不可遏……学书，练拳，要互体互悟，今日想不通，明日再想，今日不行，明年接着干，此心在斯，终能悟透。

颜平原（颜真卿）之书如杨式太极，雍容博大，李北海（李邕）之书如武式太极，欹侧险绝，而尾闾中正。二公之书虽欹正不同，但凛然正气却是一样的。颜、李二公一生正直不阿，终为奸佞所害。然书如其人，传其浩然正气而千古不朽。故学书尤先学做人，做人正直为本。一个人一生正直，谈何容易。

——与卞雪松谈

上海有位书法家说，他不喜欢用羊毫，更不喜欢用长毫。他真是活外行，不知古人已说过，欲想写硬字，必写软毫，唯软毫才能写硬字。可惜他不懂这个道理。

论用笔之道，笪重光专专论此事，软毫才能写硬字，见笪重光《书筏》。

——与魏祯、熊百之等谈

治印摹汉者甚多，要能得其神解，斯为上乘。家有数方，皆国保所刻。近又习汉者，无不佳好。若进而上溯，其妙境似不可量矣。勉之可也。

篆法不能扁，要圆。虚实有力。

边款不易刻，要柔和雅健方为名手。你的刀法略嫌强硬，以后宜稍改学吴让之可矣。

学刻要多看汉印和古玺，才能刻出味道来。

我看您刻无有刀法。最近，广东有位名手刻得很好，由刀法而进入笔法，可惜已故了。

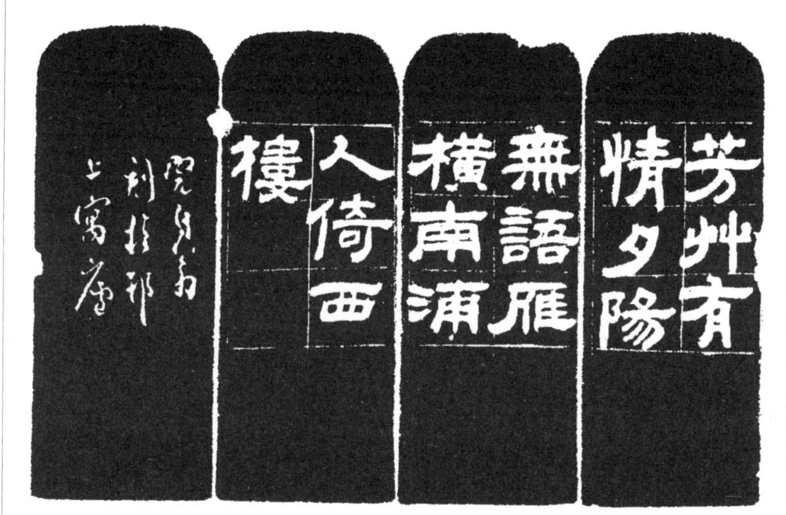

吴让之 砚山丙辰后作

汉 军假侯印　　汉 军司马丞印

刻法要能将白的地刻好，所谓虚白。

——与张国保谈

学书画从古人是唯一道路，但不能刻划形迹，食而不化。要如古人苏、黄、米、蔡，全学鲁公（颜真卿），但各立面目而各存千古；若食而不化，是书奴耳。

最主要要能自立面目，不能随人俯仰。近人字画，杂乱无理，不堪入目，可敬而远之。

——与汤永清语

学书法与学诗一样，总要流露出自己面目，不落先人窠臼为难。书法现在人都想创造新意，不知新的从旧的融化出来，不是自己做作而来。书能读得多，积理富，其新自然产生出来，是自然的，不可勉强的。

无论书法作画，总宜多读点书，才有气味。不然，徒事弄笔弄墨，终归有俗气。这个俗气实在难除。书最难读，非一朝一夕之功，游历还属于第二阶段。书读不好，游历也是枉然。古人说入宝山空回，一无所得。山川的气象不能尽心写下来。

学刻要多看汉印和古玺，才能刻出味道来。

闲章笔画当稍粗，运刀有顿作变化，近看远视都有效果。边缘部分可借用某些字的笔画代之，空处方刻边线。要多备几种，大小随书画篇幅灵活运用。平时多加注意，有了经验，自然消除差误。

这部画册对我莫大感慰，八十六岁人能看到自己作品问世，这是千古少见的事。文章千古事，得失寸心知。如王康乐昨天拿来十六帧扇册，是学黄宾虹而未得其深处。文学不行，字也写得无功夫，纤细无力，从外貌看似学黄老的，实质上相差太远，功夫是不能欺骗的。我的画虽学南宋，内劲处处离不开黄老，所以成就不同，内行一看即知。

他们画只顾一时，不顾历史，失了传统。我那时画这样的画，人都笑我，我不顾一切朝前死学，性之至近，不可改动，不料换朝就渐渐不行了，真是可惜，花了精神，费了力气。艺术总要有不可移动之精神，才能站住。不能迎合当时，逢迎时代，一时去去了，艺术也随之消灭了，朝朝都是如此现象。所以学艺术要有识力，不能随时转变，时代是变化无常，艺术是千古不动的（指法则规律）。

——与学生笔谈

我与黄老（黄宾虹）相比，他比我寿大，老了得了癌病，食道癌死的，我的诗比他多，字他懂金石，我写草书，各有不同，我的画有成就，不同近代人，世上有评论的。一生辛苦留了几千首诗，对我来说，也对得起自己了。

——与家人笔谈

有人以短短狼笔写寸余大字，这样写上六十年也不出功夫。

要用长锋羊毫。

软笔才能写硬字，硬笔不能写硬字，宋四家、明清大家都用软笔。

笔顶竹常有三角、梅花或圆形点，笔头发出白色，尖下稍黄，中部不涨者最好用。

好笔每有牛角镶头。

予曾用长锋羊毫，柔韧有弹性，杆很长，周旋余地广，特命名为“鹤颈”、“长颈鹿”，不意笔厂仿造甚多，用者不乏其人。

墨要古陈轻香，退尽火气者为上。

松紫微带紫色，宜作书。

砚以端石为佳，上品者用紫马肝色，晶莹如玉，有眼如带。

歙砚多青黑色，有金星、眉纹、帚纹以分次第。金星玉眼为石之结晶，沉水观之，清晰可见。

端、歙两种砚材都在南方而盛行全国，在北方洮河砚材亦很名贵。洮河绿石，绿如蓝，润如玉，绝不易得。此石产于甘肃甘南藏族自治州卓尼一带。洮河绿，必是碧绿之上现蓝色，备有蕉叶筋纹，最为名贵。宋代文人对洮砚推崇备至，称赞最力。黄山谷赠张文潜（张耒，字文潜）诗云：“赠君洮绿含风漪，能淬笔锋利如锥。”张和诗云：“明窗试墨吐秀润，端溪歙州无此色。”抗日战争时期，我得一碧桃小砚，十分可爱，因之题一绝句，铭刻其上：“小滴酸留千岁桃，大荒苦落三生石。凄凉曼倩不归来，野色深深出寸碧。”

古砚扪之细润，磨墨如釜中熬油，写在纸或绢上光润生色。其形多长方、长圆。正方形两片相合者叫墨海。

古人藏砚，多有铭文或跋语，刻工以朴素、大方、高雅、古拙而见重艺林，小巧、匠艺、雕琢伤神，会委屈好面料。纪晓岚（纪昀，字晓岚）铭其砚曰："天然一石，越雕越俗。"是有感而发。

昌化鸡血石，以藉（藕）粉底色，鸡血成片而鲜艳者为贵。

寿山之田白石亦为印材之名种，其精品莹洁如玉，而附有鲜红生动之血缕，价逾黄金，即田黄亦稍逊一筹也。

寿山产石色分多种，以白色、黄色、红色、绿色、青蓝色为多见。以黄、白、红诸色而莹澈凝腻者为贵。

寿山石以田石为冠。田石者产于寿山溪、汇南来诸水坑，溪旁两岸之水田砂层上

鸡血石　　寿山石

者,田分上中下三坂,即产最佳之田黄石地也。寿山距闽侯县北八十里。

田石中以口黄石最佳。唯出于寿山溪两岸之芙蓉坑、都成坑、坑头冻诸石差可比肩。芙蓉洞之白石以猪油、藕尖最佳,质腻如玉。都成坑所产如田黄质坑头石莹澈而凝腻,黄者兼有红筋,白者兼有栗起,有鱼脑白、枇杷黄、蔚蓝天诸种。

书家要懂刀法。

印人要懂书法。

行隔理不隔。

——《林散之序跋文集》

题吴缶庐手牍

晋人重书牍，人与字同契。
今读缶庐诗，字字有真意。

昏睡

昏昏沉沉欲上天，一觉酣眠数十年。
醒时醉扫三千字，满纸涂鸦不值钱。

太白楼十首之一

李公豪气吞江月，小道雕虫有不屑。
能书大笑王右军，龙跳天门虎卧阙。

偶成

谁人书法悟真源，点点斑斑屋漏痕。
我于此中有领会，每从深处觅灵魂。

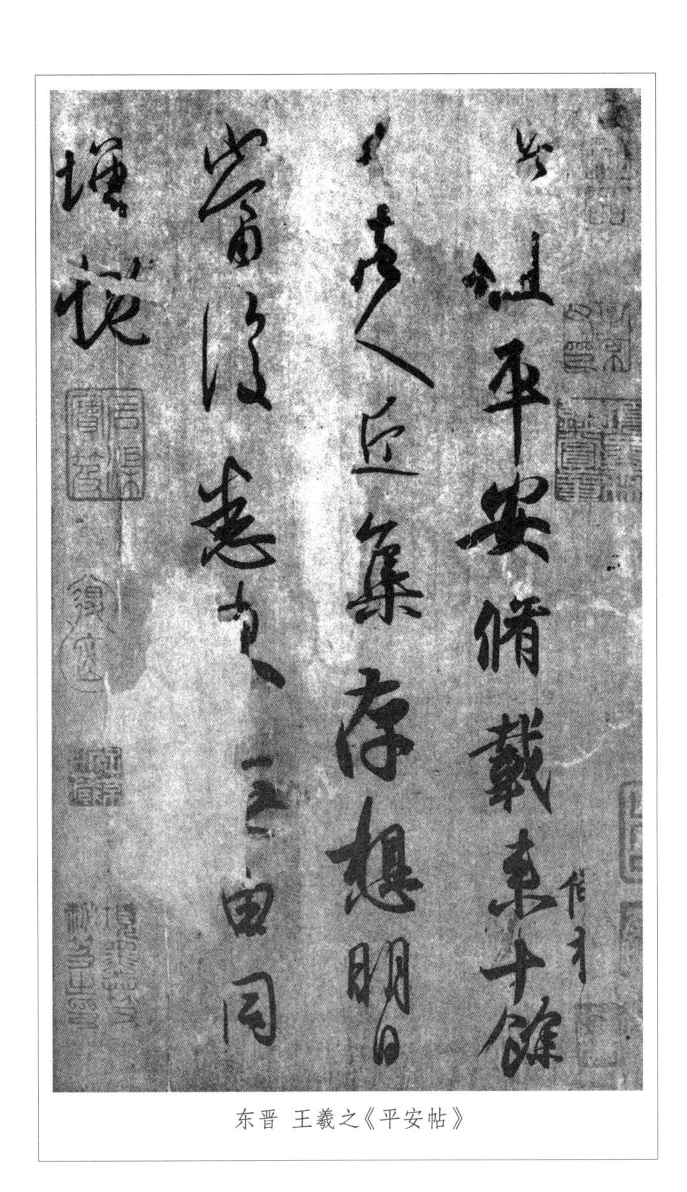

东晋 王羲之《平安帖》

自笑

自笑平生鬼画符，画神画鬼骗凡夫。
如今苦被虚名累，始悟张颠误了余。

论执笔

执笔之法，双勾盘肘。力在笔中，笔随手走。
如锥画沙，如屋漏痕。不传之秘，先贤所守。

昔游十八首之一

不学张长史，不画大涤子。
自写胸中山，纵横千万里。

论书两首

作书谁作笔头奴，书圣应师王氏书。
龙跳天门虎卧阙，千钧力量世贤无。

万物春成百卉开，馨莸万类各争才。
风云翻覆成千变，牛鬼蛇神都出来。

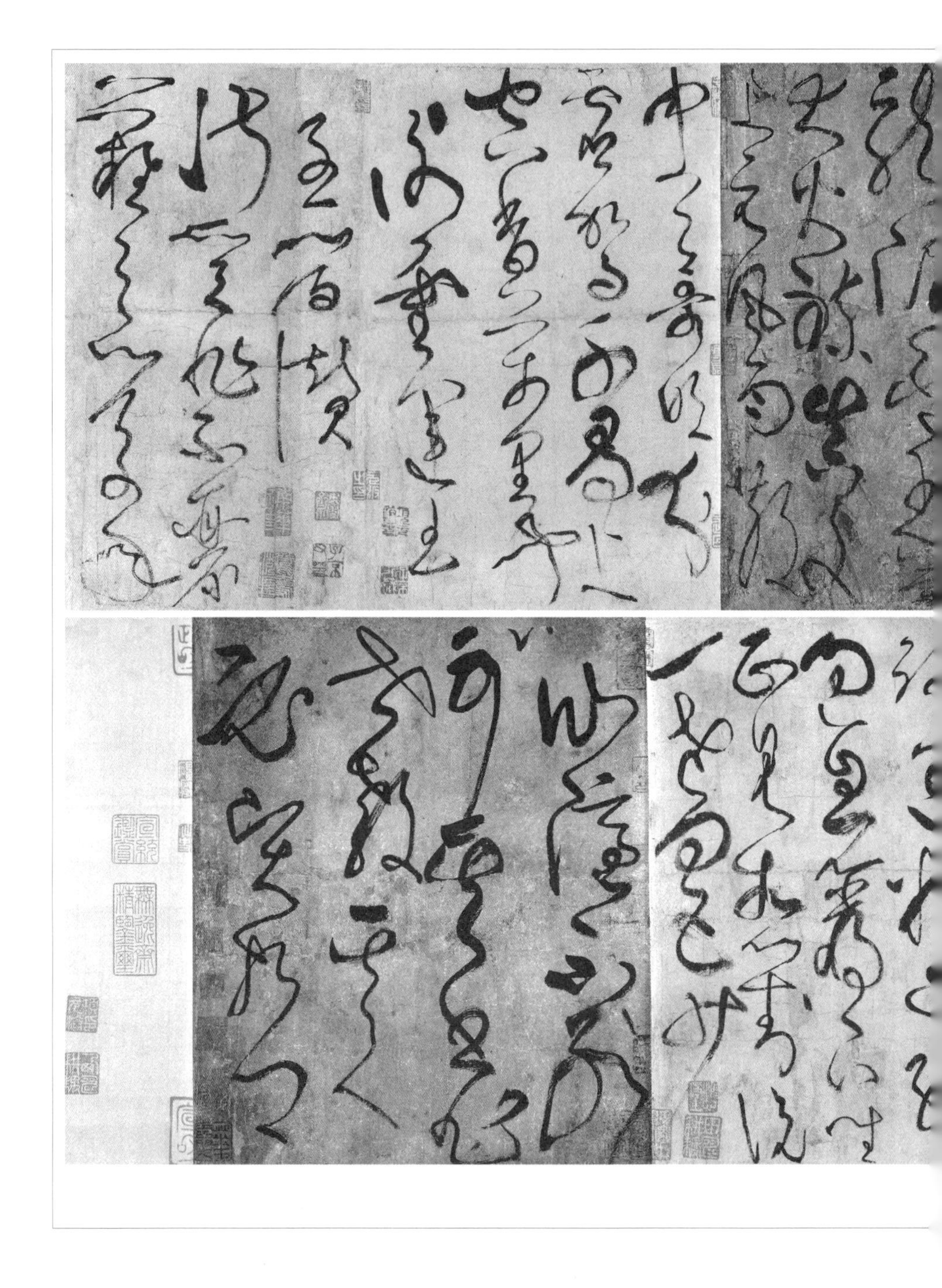

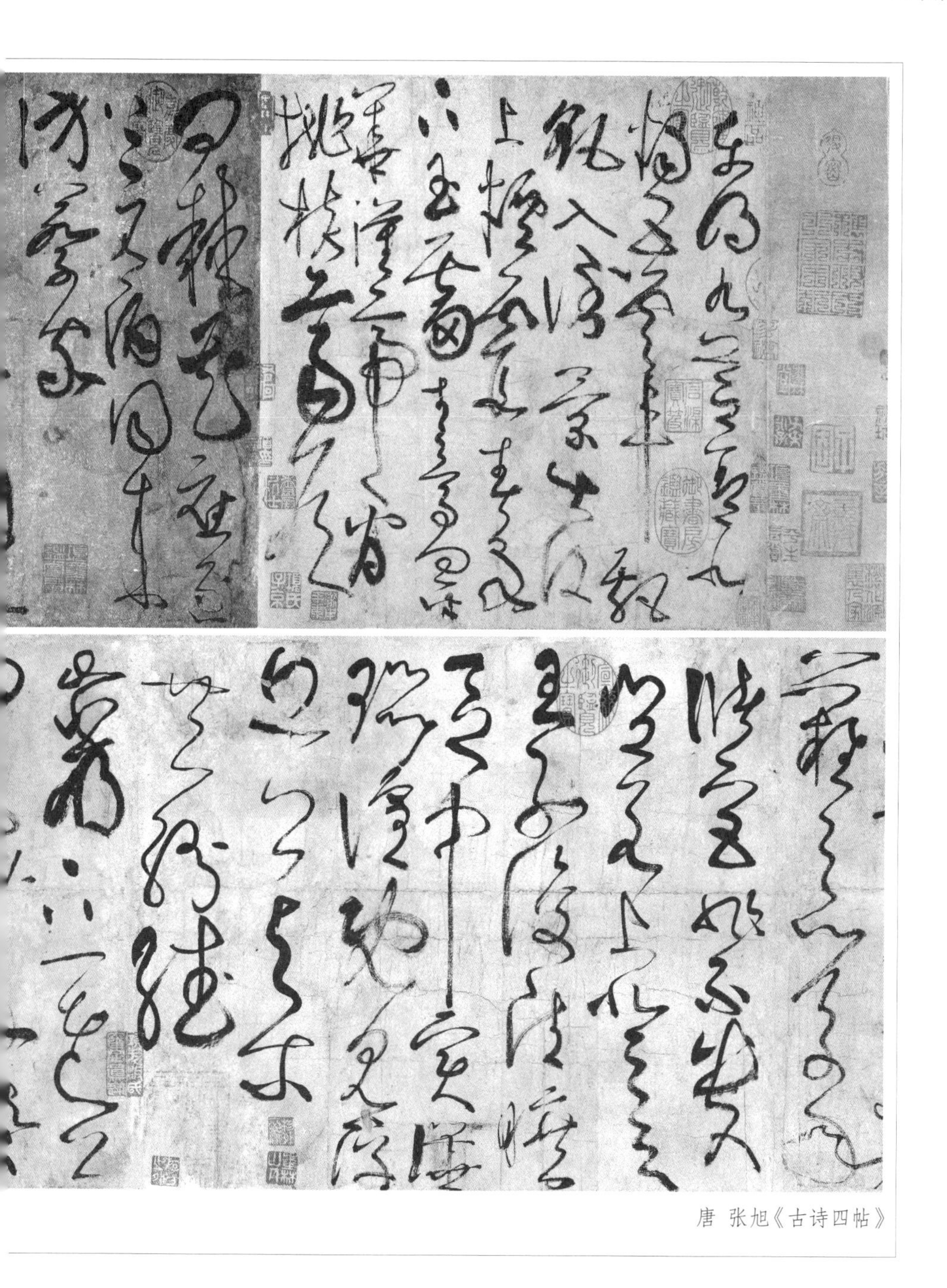

唐 张旭《古诗四帖》

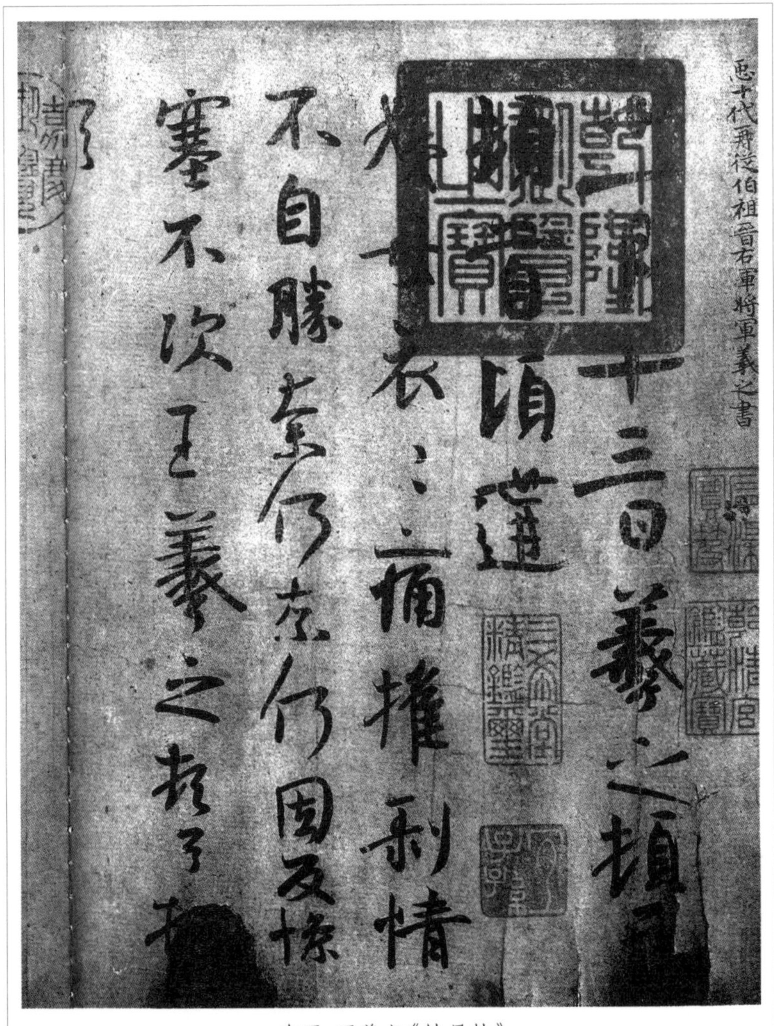

东晋 王羲之《姨母帖》

法外法

欲学法外法，问君敢不敢。

千笔成一笔，惊破俗人胆。

学书

自铺废纸自磨墨，盘肘功夫气尚虚。

不学今人不貌古，横空愧似换鹅书。

作书赠广东黎雄才院长

草草数行书，模糊不知丑。

问是谁人写，江南林某某。

为学

今年九十一，为学日求益。

字字书精神，惯用长毫笔。

书狂

盘马弯弓屈更张，刚柔吐纳力中藏。

频年辛苦真无奈，笔未狂时我已狂。

惊创

摇摇摆摆飞上天，钉头鼠尾钩相连。

问君何以如此写？各有看法迈前贤。

叹我学书六十年，竟被先生走在前。

书法之道真无边，大胆创造惊张颠。

题蔡易庵印存并序

书家，宜从笔法追溯刀法；刻石家，宜从刀法追溯笔法。二者相倚相生，同期并进，以是知今古刻石名家，无不知书法也。今观易庵先生为启明所治前后八十余印，和平敦厚，刚健婀娜，虽出入秦汉，而能自具机格，不徒以形势炫人，实能悟入书家用笔之妙。余不能刻，而略知书法如是，质之易庵，想不河汉斯言。并题二绝句，以博一笑。

能从笔法追刀法，更向秦人入汉人。

自有精灵成面目，百花丛里笑推陈。

邗江江上碧如油，千载风流境最幽。
赢得先生腕力健，烟花三月灿扬州。

赠邗上孙龙父

有友孙龙父，维扬一篆人。
殳书缮史籀，垂露更悬针。
气得江上助，才随日月新。
瘦西湖内水，端为洗凡尘。

为苏若女治石

买来三寸刀，治此一丸石。
不怜眼力花，剜出心头血。

笔法兼刀法，朱文杂白文。
只将方寸意，深浅刻秦分。

再柬二适二首（选一）

谁说兰亭伪？应寻定武真。
千年仍聚讼，一议足推陈。（君有兰亭驳议）

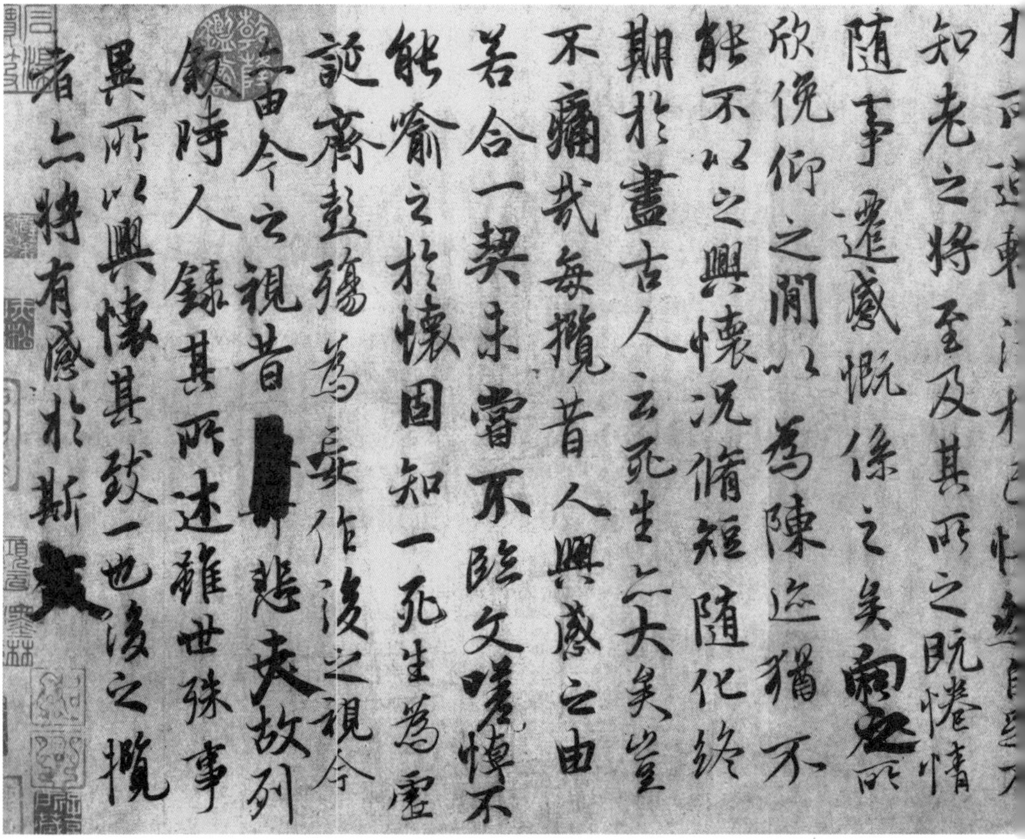

永和九年歲在癸丑暮春之初會
于會稽山陰之蘭亭脩稧事
也羣賢畢至少長咸集此地
有崇山峻領茂林脩竹又有清流激
湍暎帶左右引以為流觴曲水
列坐其次雖無絲竹管弦之
盛一觴一詠亦足以暢敘幽情
是日也天朗氣清惠風和暢仰
觀宇宙之大俯察品類之盛
所以遊目騁懷足以極視聽之
娛信可樂也夫人之相與俯仰
一世或取諸懷抱悟言一室之內

东晋 王羲之《兰亭序》(唐冯承素摹本)

不世惊龙象，（有谓：王氏流传之迹，难寻铁画银钩处。此实于山阴法乳，未能深入）遗型动鬼神。

银钩与虿尾，早泣卫夫人。

辛苦

辛苦寒灯七十霜，墨磨磨墨感深长。

笔从曲处还求真，意入圆时更觉方。

窗外秋河明耿耿，梦中水月碧茫茫。

有情色相驱人甚，写到今年尚未忘。

论书二首

书法由来智慧根，应从深处悟心源。

天机泼出一池水，点滴皆成屋漏痕。

整整齐齐如算子，千秋人已笑书奴。

月中斜照疏林景，自在横斜力有余。

偶题

我书意造本无法，秉受师承疏更狂。

亦识有人应笑我，西歪东倒不成行。

顷过江舒父两度见临并惠以诗同病归来感此赋答

不辞残老学龙盘，悬腕双勾字字难。

写寄江南高二适，问君可否供人看。

平生自愧学无成，浪得虚名实过情。

有约未能前问字，隔江时听读书声。

论书

雨淋墙头月移壁，鸟篆虫文认旧痕。

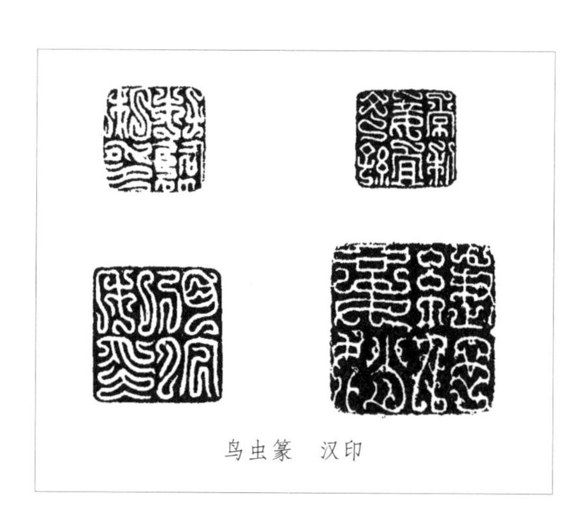

鸟虫篆　汉印

我忆黄山山上老，却从此处悟真源。

论书六首

满纸披纷夸独能，春蛇秋蚓乱纵横。
强从此处看书法，闭着眼睛慢慢睁。

更羡创成新魏体，排行平扁独成名。
自夸除旧今时代，千古真传一脚蹬。

午夜磨砻实苦辛，墨池水涨自通神。
千秋饿隶犹成诮，何况戋戋吾辈人？

法乳相传有素因，蔡中郎后卫夫人。
却怜未识兰亭面，自诩山阴一脉真。

自谓平生眼尚青，层层魔障看分明。
莫言臣字真如刷，犹有天机一点灵。

狂草应从行楷入，伯英遗法到藏真。
锥沙自见笔中力，写出真灵泣鬼神。

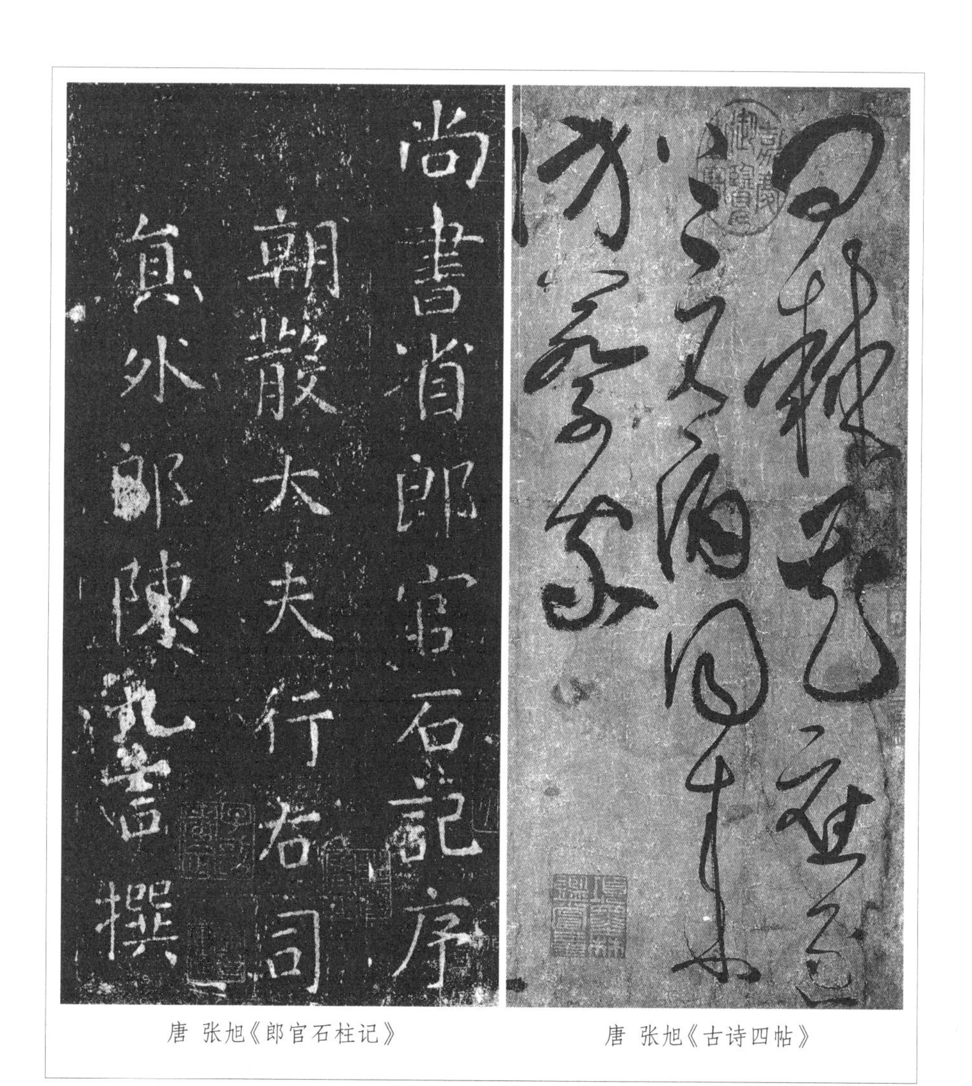

唐 张旭《郎官石柱记》　　　唐 张旭《古诗四帖》

七七书感言

误堕书城七十七，老来风格更天真。

自家面目自家见，还向山阴乞谷神。

论书

我书意造本无法，随手写来适中之。

秋水满池花满座，能师造化即为师。

作书

不随世俗任孤行，自喜年来笔墨真。

写到灵魂最深处，不知有我更无人。

我生

我生殊自奋，伏案作书佣。

墨水三千斛，青山一万重。

途长怜病马，技末感雕虫。

抚剑时吹吷，风声振大聋。

推陈

平生好弄翰，转眼七十九。
风华延魏晋，趣舍忘美丑。
推陈自出新，此理岂容否。
嗟哉楚鄙人，已失挥弦手。

自惜

自惜磨砻七十九，笔墨未忘平生丑。
古瘦犹存一点真，此境求之古人有。

论书绝句十三首

春来湖上坐坡陀，日日随人看水波。
风水相生浪自涌，文章皱起一天罗。

山之高兮水之深，芳草萋萋兮好鸟音。
我亦有诗出肝鬲，追随众响作春吟。

风林有力天然得，水净沙明画几圈。
狡狯平原具独解，沙锥深处悟真诠。

东晋　王羲之《快雪时晴帖》　　唐　李邕《云麾将军碑》

独能画我胸中竹，岂肯随人脚后尘。
既学古人又变古，天机流露出精神。

笔从曲处还求直，意到圆时觉更方。
此语我曾不自吝，搅翻池水便钟王。

欲学庖丁力解牛，功夫深浅在刚柔。
吾人用尽毛锥笔，未入三分即罢休。

以字为字本书奴，脱去町畦可论书。
流水落花风送雨，天机透出即功夫。

能于同处不求同，惟不能同斯大雄。
七子山阴谁独秀，龙门跳出是真龙。

立功立德各殊途，打破樊笼是丈夫。
竖子成名山鬼笑，风萧萧兮一木孤。

右军如龙北海象，龙象庄严百世名。
虿尾银钩真绝技，可怜青眚看难明。

学我者死叛我生，斯言北海镂心铭。
奈何世俗斤斤子，辜负芸窗十载灯。

千载斯人已陈迹，惟余真理曜乾坤。
请看雨湿墙头处，月影参差照漏痕。

乾乾几案笔头奴，窗月娟娟冷笑余。
犹不甘心于寂寞，当门濡墨写桃符。

又论书四首

天际乌云忽助我，一团墨气眼前来。
得了天机入了手，纵横涂抹似婴孩。

回首当年笔阵图，卫夫人去海天孤。
既笑古人又笑我，苍茫墨里太模糊。

始有法兮终无法，无法还从有法来。
千古大成真辣手，都能夺取上天才。

书法谁人似墨猪，垢衣赤脚一村夫。

横撑竖曳芦麻样，不古不今笑煞余。

日本现代书法观感

日之出兮东方，光相接兮赤县与扶桑。溯渊源兮有自，通文字兮李唐。篆隶兮秦汉，楷则兮钟王。笔何驰兮古秀，墨何运兮琳琅。山之峨峨松柏虬，水之渊渊蛟龙藏。如壮士之拔山兮，力伸劲铁；似天孙之织锦兮，日曜七襄。惜顽躯之迟退兮，驽行跬步；何前修之蒸上兮，凤翥鸾翔。式两国之相好兮，如日月之光昌；何文光之交流兮，输兹远道。感沧波之渺渺兮，一苇之杭；启两国之深思兮，古光璀璨；结良缘之杳蔼兮，山高水长。时维八月，桂花初黄，玄武微波，菡萏吐芳。明月娟娟而清洁，秋风阵阵以舒凉。掬此素枕，荐以馨香。念南之有箕兮，可赖以播扬；念北之有斗兮，可酌以酒浆。紧握兮两手，并肩兮同行。

论怀素

妙法莲华释怀素，神奇变化惊独步。
真如醉尉李将军，一笑弯弓不回顾。

题沙寐叟书法篆刻展览四章（选二）

能从汉简惊时辈，还习殳书动俗儒。

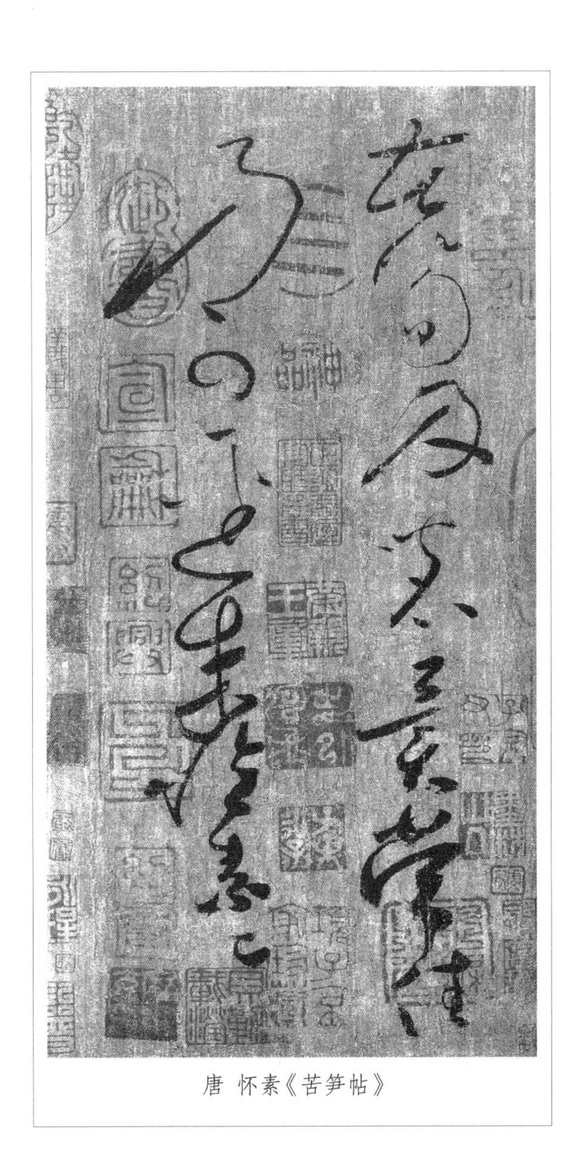

唐 怀素《苦笋帖》

左旋右抽今古字，纵横篆出太平符。

循规矩于方圆，悟空灵之黑白。
将字作画画亦字，此真书道之狡贼。

《林散之书法选集》自序

余浅薄不文，学无成就，书画之道，何敢妄谈。唯自孩时，即喜弄笔。积其岁年，或有所得。缀其经过，贡采览焉。余八岁时，开始学艺，未有师承。十六岁从乡亲范培开先生学书。先生授以唐碑，并授安吴执笔悬腕之法，心好习之。弱冠后，复从含山张栗庵先生学诗古文辞，先生学贯古今，藏书甚富，与当代马通伯、姚仲实、陈澹然诸先生游，书学晋唐，于褚遂良、米海岳尤精至。尝谓余曰："学者于三十外，诗文书艺，皆宜明其途径，若驰骛浮名，害人不浅，一再延稽，不可救药，口传手授，是在真师，吾友黄宾

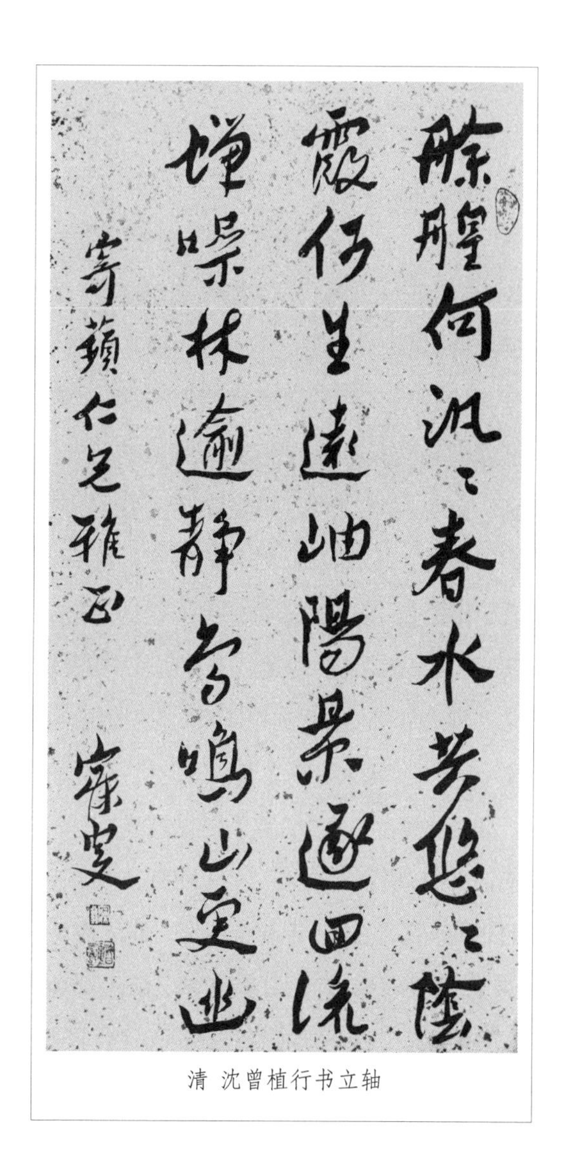

清 沈曾植行书立轴

虹，海外知名，可师也。”余悚然聆之，遂于翌年负笈沪上，持张先生函求谒之。黄先生不以余为不肖，谓曰：“君之书画，略具才气，不入时畦，唯用笔用墨之法，尚无所知，似从珂罗版摹拟而成，模糊凄迷，真意全亏。”并示古人用笔用墨之道：“凡用笔有五种，曰锥画沙、曰印印泥、曰折钗股、曰屋漏痕、曰壁拆纹。用墨有七种，曰积墨、曰宿墨、曰焦墨、曰破墨、曰浓墨、曰淡墨、曰渴墨。”又曰：“古人重实处，尤重虚处；重黑处，尤重白处；所谓知白守黑，计白当黑，此理最微，君宜领会。君之书法，实处多、虚处少，黑处见力量，白处欠功夫。”余闻言，悚然大骇。平时虽知计白当黑和知白守黑之语，视为具文，未明究竟。今闻此语，恍然有悟。即取所藏古今名碑佳帖，细心潜玩，都于黑处沉着，白处虚灵，黑白错综，以成其美。始信黄先生之言，不吾欺也。又曰：“用笔所禁忌：忌尖、忌滑、忌扁，忌轻、忌俗；宜留、宜圆、宜平、宜重、宜雅。钉头、鼠尾、鹤膝、蜂腰皆病也。凡病可医，唯俗病难医。医治有道，读万卷书，行万里路。读书多，则积理富，气质换；游历广，则眼界明、胸襟扩，俗病或可去也。古今大家，成就不同，要皆无病，肥瘦异制，各有专美。人有所长，亦有所短，能避其所短而不犯，则善学也，君其勉之。”余复敬听之，遂自海上归，立志远游，挟一册一囊而作万里之行。自河南入，登太室、少室，攀九鼎莲花之奇。转龙门，观伊阙，入潼关，登华山。攀苍龙岭而觇太华三峰。复转终南而入武功，登太白最高峰，下华阳，转城固而至南郑，路阻月余，复经金牛道而入剑门，所谓南栈也。一千四百余里而至成都，中经嘉陵江，奇峰耸翠，急流奔湍，骇目惊心，震人心胆，人间奇境也。居成都两月余，沿岷江而下，至嘉州寓于凌云山之大佛寺，转途峨眉县，六百里而登三峨。三峨以金顶为最高，峨眉正峰也。斯时斜日西照，万山沉沉，怒云四卷。各山所见云海，以此为最奇。留二十余日而返渝州，出三峡，下夔府，觇巫山十二峰，云雨荒唐，欲观奇异。遂出西陵峡而至宜昌，转武汉，趋南康，登匡庐，宿五老峰，转九华，寻黄山而归。得画稿八百余幅，诗二百余首，游记若干篇；

行越七省，跋涉一万八千余里，道路梗塞，风雨艰难，亦云苦矣。

余学书，初从范先生，一变；继从张先生，一变；后从黄先生及远游，一变；古稀之后，又一变矣。唯变者为形质，而不变者为真理。审事物，无不变者。变者生之机，不变者死之途，书法之变，尤为显著。由虫篆变而史籀，由史籀变而小篆，由小篆而汉魏，而六朝，而唐，宋，元，明，清。其为篆，为隶，为楷，为行，为草。时代不同，体制即随之而易，面目各殊，精神也因之而别。其始有法，而终无法，无法即变也。无法而不离于法，又一变也。如蚕之吐丝、蜂之酿蜜，岂一朝一夕而变为丝与蜜者。颐养之深，酝酿之久，而始成功。由递变而非突变，突变则败矣。书法之演变，亦犹是也。盖日新月异，由古到今，事势必然，勿容惊异。

居尝论之，学书之道，无它玄秘，贵执笔耳。执笔贵中锋，平腕竖笔，是乃中锋；卧管、侧毫，非中锋也。学既贵专，尤贵于勤。韩子曰“业精于勤”，岂不信然。又语云：“学然后知不足。”唯有学之，方知其难。盖有学之而未能，未有不学而能者也。余初学书，由魏入汉，转而入唐，入宋、元，降而明、清，皆所摹习。于汉师《礼器》、《张迁》、《孔宙》、《衡方》、《乙瑛》、《曹全》；于魏师《张猛龙》、《贾使君》、《爨龙颜》、《爨宝子》、《嵩高灵庙》、《张黑女》、《崔敬邕》；于晋学阁帖；于唐学颜平原、柳诚悬、杨少师、李北海，而于北海学之最久，反复习之。以宋之米氏、元之赵氏、明之王觉斯、董思白诸公，皆力学之。世称“右军如龙，北海如象”，又称“北海如金翅劈海，太华奇峰”。诸公学之，皆能成就，实南派自王右军后一大宗师也。余十六岁始学唐碑；三十以后学行书，学米；六十以后学草书。草书以大王为宗，释怀素为体，王觉斯为友，董思白、祝希哲为宾。始启之者，范先生；终成之者，张师与宾虹师也。此余七十余年学书之大略也。书画同源，理无二致，余之学书过程即余学画过程，以作画之理写字，以写字之法作画，互为影响，以畅其机趣。作画法宋人，参以元明，力戒浮华，旨在朴质天真。千秋

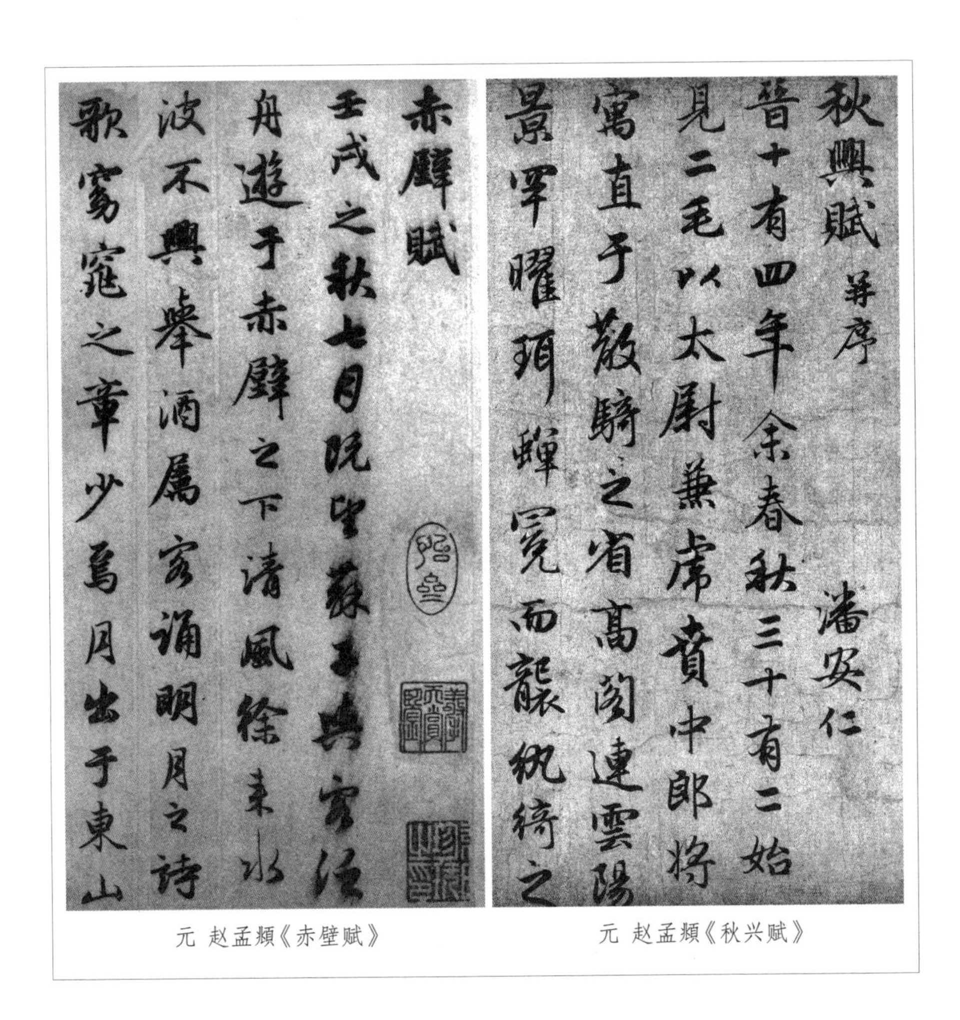

元 赵孟頫《赤壁赋》　　元 赵孟頫《秋兴赋》

万壑，求无俗迹，能除魔障，吾之愿也。

语云，一艺之成，良工心苦，岂不然哉。顾念平生，寒灯夜雨，汲汲穷年。所学虽勤，所得甚浅。童年摹习，白首初成，略具轨辙，非敢言尽书画之道也。今不计工拙，出其所作，影印以行，深望识者指其瑕疵，以匡不逮。是为序。

跋赵孟頫书卷

昔人有问姚江村以赵文敏书逼真晋人者，江村白：此非晋人书，乃吴兴书耳！盖谓文敏书固得法，而及其既化，则俊伟自成一家。故如作文然，韩子学孟子，欧阳子文学韩子者，而其文无一篇摹拟韩子。盖曰：师其意不师其文。欧阳子亦曰：孟、韩文虽高，不必其似之也！文敏在胜国，以文章名家，故得此意，见之书法。友人携此册示余，展玩数日，因书其卷末。

跋王觉斯草书诗卷

觉斯书法，出于大王，而浸淫李北海，自唐怀素后第一人，非思翁、枝山辈所能抗手。此卷原迹流于日本，用珂罗版精印问世，复传中国，为吾友谢居三所得于一九六六年春。余假于尉天池处已七八年矣。朝夕观摩不去手，“文革”运动中亦随身携带，幸未遭遗失。今居三欲索回原物，自当完璧归赵。佳书如好友，不忍离别，因题数语归之，以志留连之意云耳！

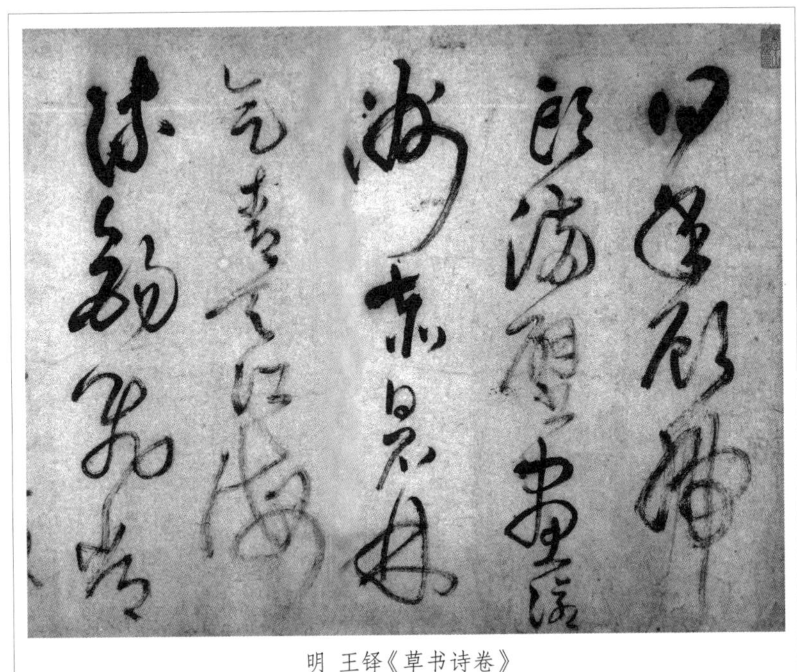

明 王铎《草书诗卷》

跋范培开对联

范培开字朗先，亦字新村，少时家贫，从含山张栗庵先生读书并习书法。初学唐碑，有功力；后学魏碑，用功甚勤。张先生为清末进士，富藏书，遂宦游山东。余初学书，即寻其途径而学之。惟余自怀素以外，又后宗二王书帖，此其所异。范先生用笔甚泼辣，为近人所宗仰。惜晚年所宗稍退，归山中购地亩，种树读书，不能尽其所学，年五十五而卒。惜哉！

林散之书法欣赏

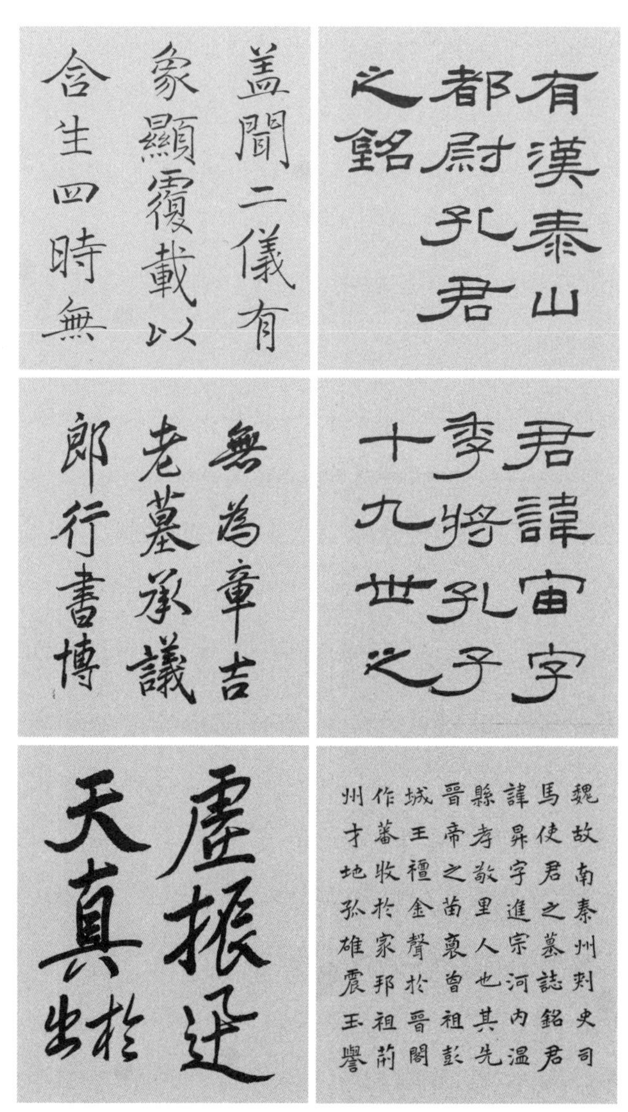

临书册页（选六）

此临作选页浓墨写就，神完气足。用笔圆转平稳，力在笔中，如锥画沙。点画留得住，压得下，笔笔折得开。

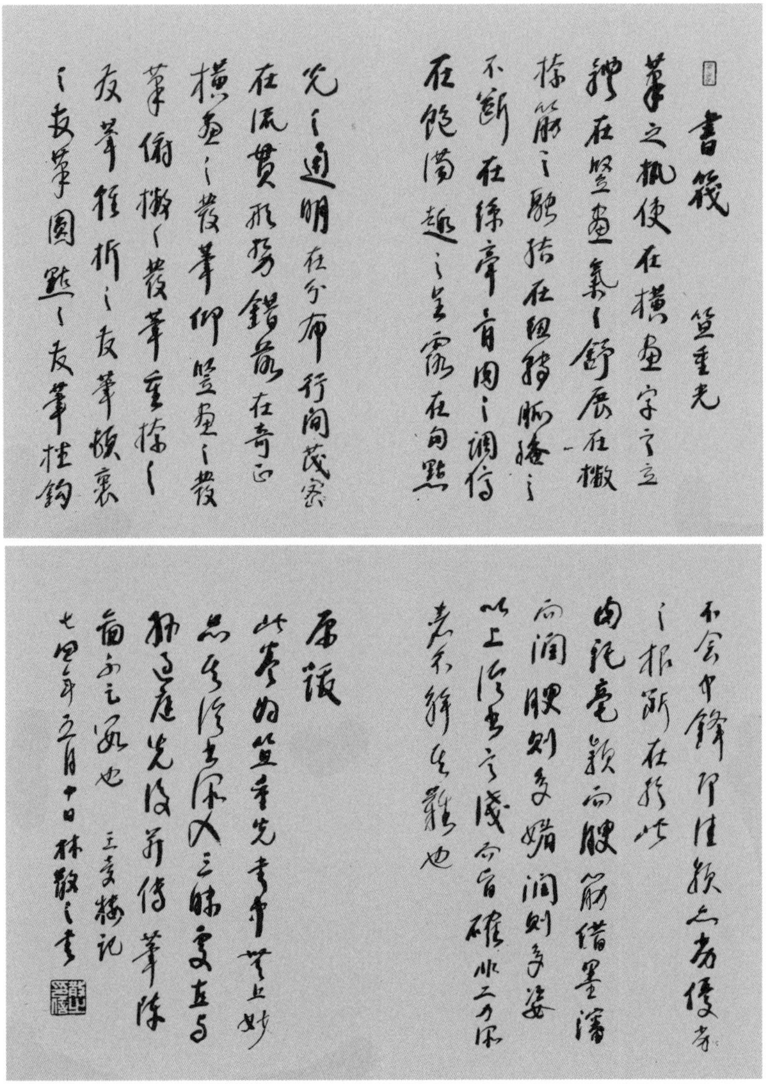

行草书《笪重光〈书筏〉》册页（首开、末开）

此作曲中求直，圆中求方，无论纵横均不直过，疾涩相应，有折钗股、屋漏痕之义理，具天然浑成的朴厚与洒脱。

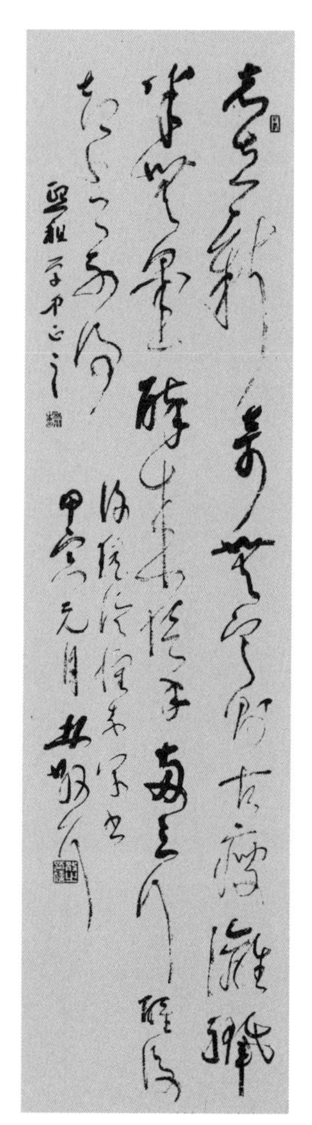

草书《许瑶〈题怀素上人草书〉》条幅

此作用长锋羊毫蘸水濡墨，力运笔端，墨注纸上，水墨交融，渗化洇散，常常有意外的情趣。其聚墨处神采夺人，枯墨散锋处一枯再枯，墨似尽而笔仍在擦行，但见笔墨化作虚丝，在似有若无间尤显其意韵、精神之超凡。

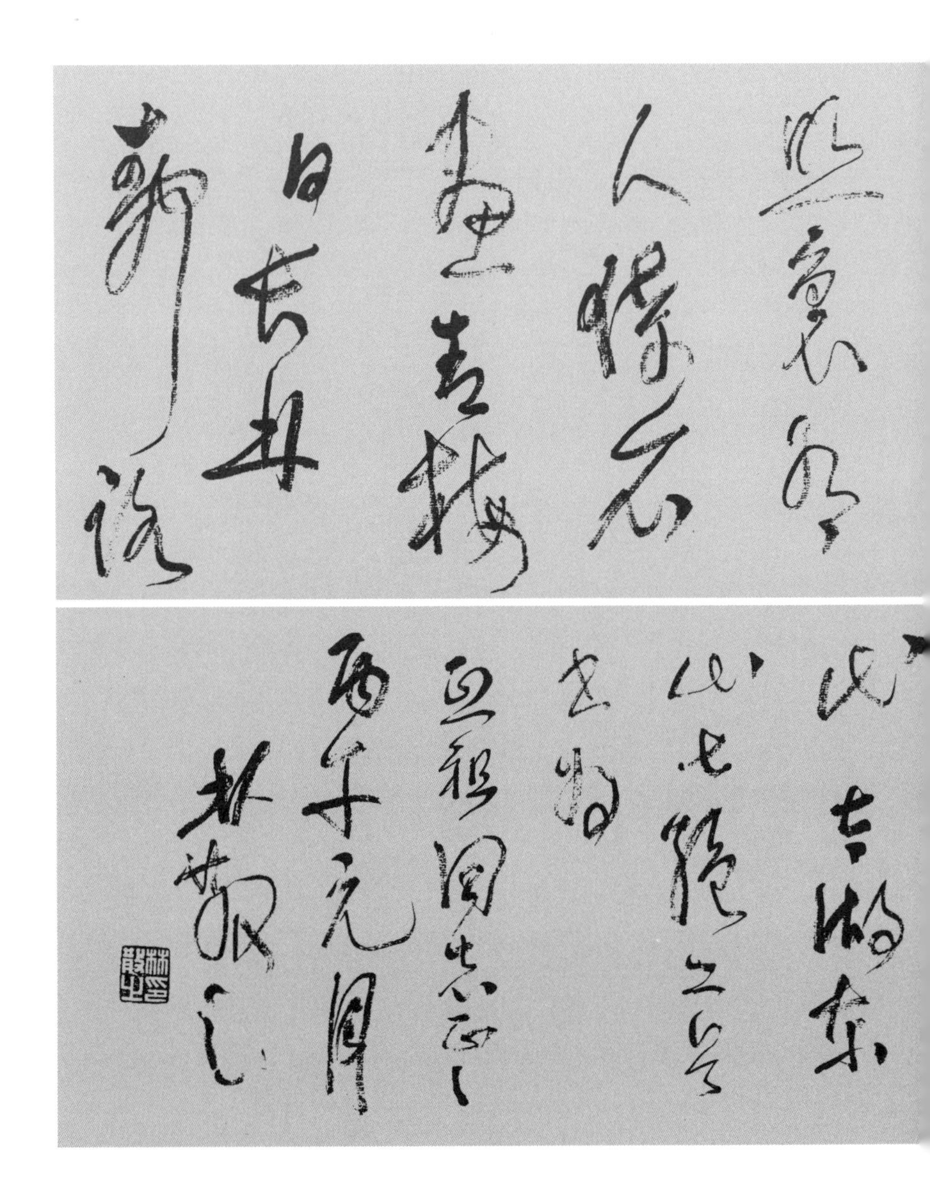

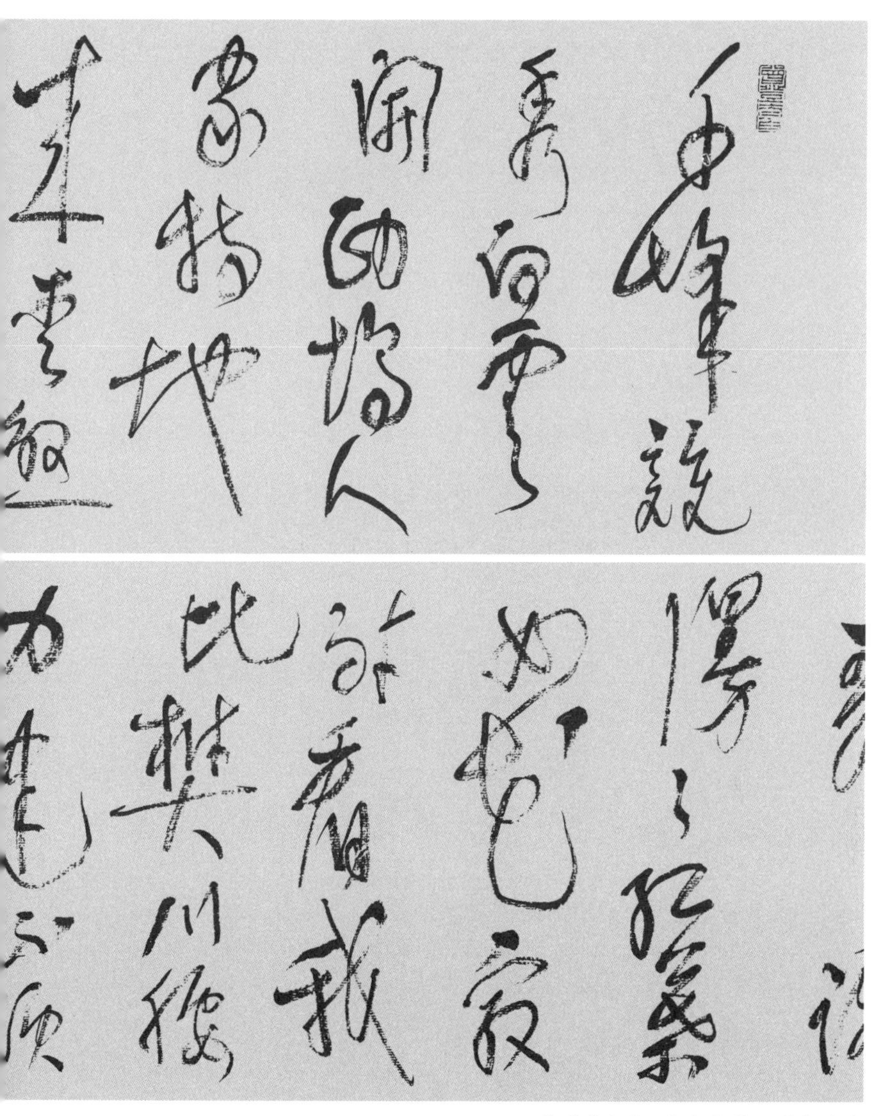

草书《太湖、东山七绝二首》手卷

此卷以汉隶入草，刚中见柔，兼有碑之骨、帖之韵，又渗透着汉隶朴拙之意。笔意绵长，曲处见直，圆中寓方，浓纤长短适度，燥润枯湿合宜，其酣畅淋漓如雨淋墙头，浑厚苍劲如枯藤老根。

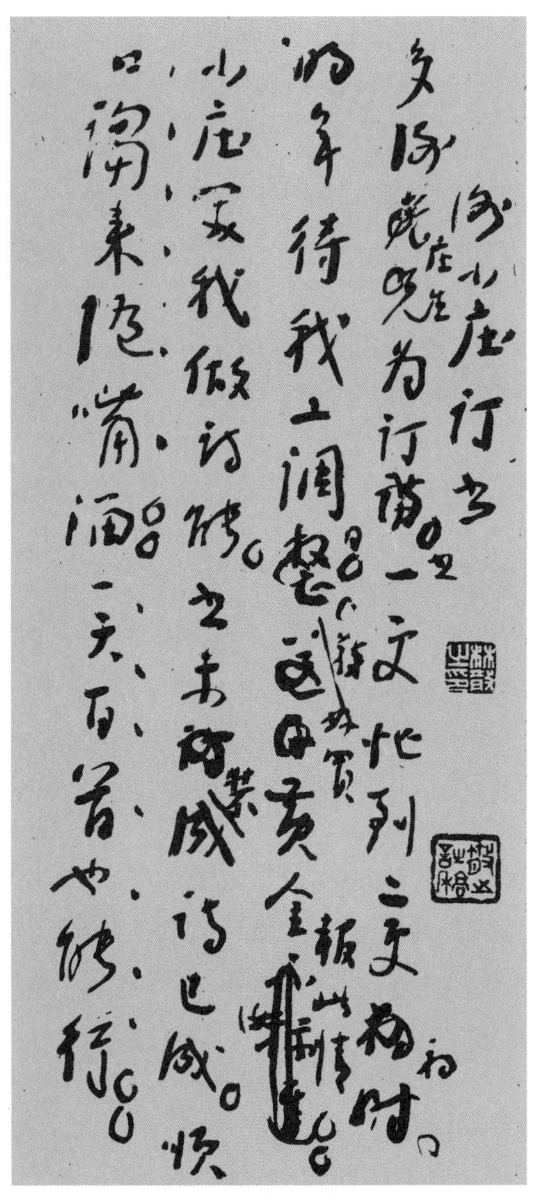

行书《谢小庄订书》诗稿

此诗稿勾点涂改，虽信手拈来，亦不失庄重。

草书《读书磨墨》五言联

此联长锋羊毫写就，盖羊毫含墨量大，锋长则奇怪生焉。观其使转翻折，涩进疾阻，将倒复起，似欹反正，但觉一片化机，满纸精彩。

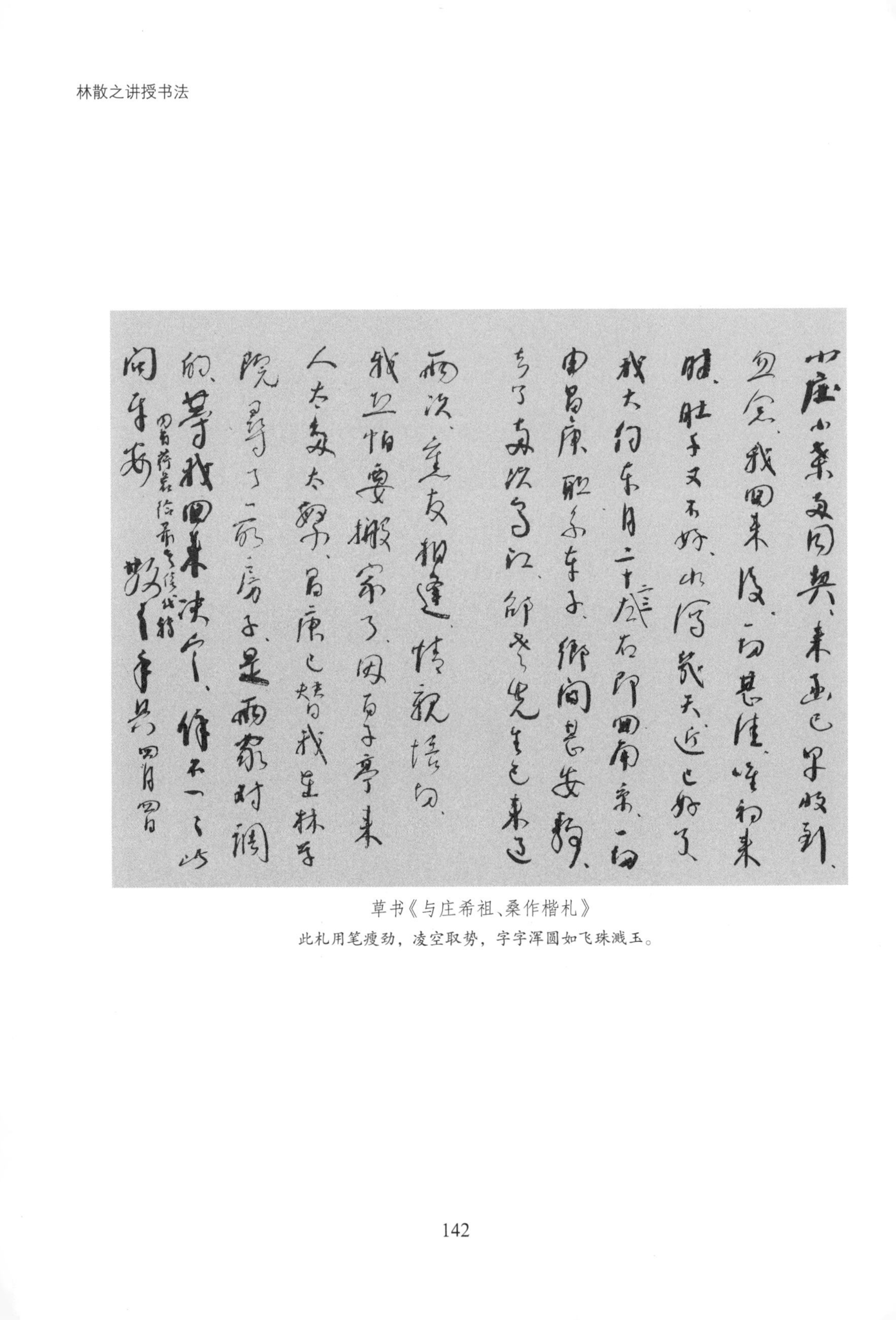

草书《与庄希祖、桑作楷札》

此札用笔瘦劲，凌空取势，字字浑圆如飞珠溅玉。

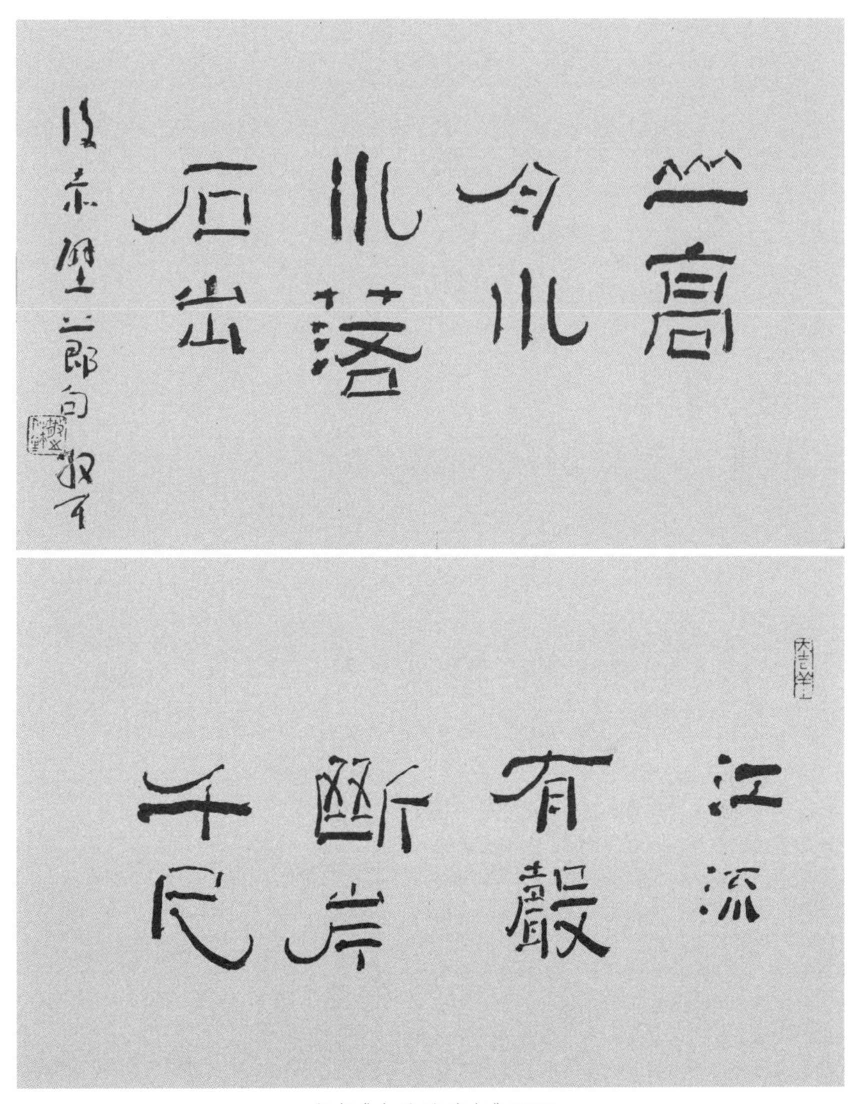

隶书《赤壁赋节句》册页

此作平正雅洁，朴茂凝重，字形大小一任自然，有灵动绰约、刚健婀娜之感。

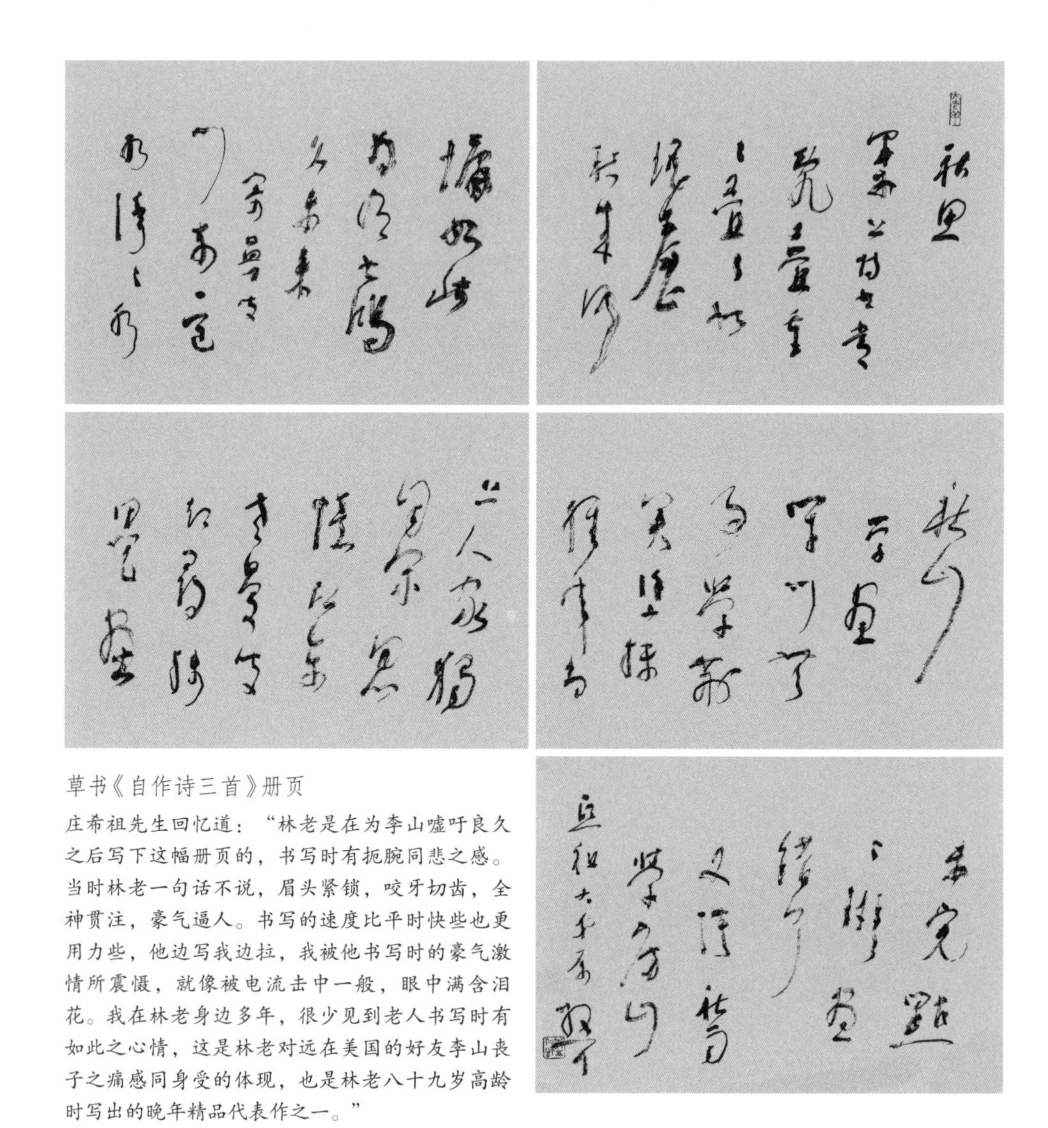

草书《自作诗三首》册页

庄希祖先生回忆道："林老是在为李山嘘吁良久之后写下这幅册页的，书写时有扼腕同悲之感。当时林老一句话不说，眉头紧锁，咬牙切齿，全神贯注，豪气逼人。书写的速度比平时快些也更用力些，他边写我边拉，我被他书写时的豪气激情所震慑，就像被电流击中一般，眼中满含泪花。我在林老身边多年，很少见到老人书写时有如此之心情，这是林老对远在美国的好友李山丧子之痛感同身受的体现，也是林老八十九岁高龄时写出的晚年精品代表作之一。"

图书在版编目(CIP)数据

林散之讲授书法 / 庄希祖编选导读. -- 上海 : 上海书画出版社, 2013.8
(大师私淑坊)
ISBN 978-7-5479-0645-3
Ⅰ. ①林… Ⅱ. ①庄… Ⅲ. ①汉字-书法 Ⅳ. ①J292.1
中国版本图书馆CIP数据核字(2013)第178104号

大师私淑坊

林散之讲授书法

庄希祖　编选　导读

责任编辑　吴云峰
审　　读　沈培方
责任校对　郭晓霞
封面设计　品悦文化
技术编辑　吴蕾中

出版发行　上海书畫出版社
地址　上海市延安西路593号　200050
网址　www.shshuhua.com
E-mail　shcpph@online.sh.cn
印刷　上海展强印刷有限公司
经销　各地新华书店
开本　700×1000　1/16
印张　10.75
版次　2013年8月第1版　2021年9月第6次印刷

书号　ISBN 978-7-5479-0645-3
定价　23.00元